稲盛和夫 最後の闘い

JAL再生にかけた経営者人生

日本経済新聞社編集委員
大西康之――［著］

日本経済新聞出版社

カバー写真提供：日本経済新聞社
装幀：鈴木堯＋佐々木由美（タウハウス）
本文デザイン：アーティザンカンパニー

2人の父に捧げる

稲盛和夫 最後の闘い　目次

肩書きや事実関係は、原則、取材当時のままとした。

プロローグ

２０１３年3月19日、東京都品川区、天王洲アイルにある日本航空（ＪＡＬ）本社2階のウイングホールに１００名を超える報道陣が集まった。定刻の午後5時になると、取締役名誉会長の稲盛和夫が社長の植木義晴とともに姿を現した。

冒頭で植木が記者会見の趣旨を説明した。

「4月1日からの新体制について、私からご説明させていただきます。本日開催の臨時取締役会において、取締役名誉会長の稲盛和夫が取締役を退くことが決まりました。今後は会長の大西（賢）と私が先頭に立って、稲盛が植えつけてくれたフィロソフィと部門別採算を2つの柱として、謙虚に努力を続けてまいります」

稲盛が会社更生法の適用を申請したＪＡＬの会長になったのは、２０１０年2月1日。そこから２０１３年3月31日までを日数で表せば１１５５日になる。

国策企業として産声を上げ、常に国の庇護の下に置かれ、官僚や政治家に振り回されてきたＪＡＬ。８つの労働組合を抱え、年収３０００万円を超えるパイロットがなお、待遇改善を求めてきたＪＡＬ。２００６年の日本エアシステム（ＪＡＳ）との合併で肥大化したＪＡＬ。赤字とリストラを繰り返しながら、問題を先送りし続けてきたＪＡＬ。

「誰がやっても立て直せない」と言われたＪＡＬに、稲盛はたった3人の腹心を連れて飛び込んだ。それから１１５５日間。稲盛はＪＡＬに大手術を施したのだが、その事実は断片的にしか伝わっていない。

稲盛は、専門家が「実現不可能」と烙印を押した更生計画を完遂し、過去最高の営業利益を叩き出し、株式の再上場にこぎつけた。

一体全体、何が起きたのか。

理解できない外部の人々は「国頼みの不公平な再建」と言い募り、ＪＡＬで実際に起きたことから目をそむけた。

１１５５日の間、稲盛はＪＡＬの会長室に「お飾り」として座っていたわけではない。京都セラミック（現京セラ）を創業してから50余年。半世紀にわたる経営者人生で蓄積した知識、経験、哲学のすべてを動員し、経営破綻で自信を喪失した３万２０００人のエリート集団に「生きる力」を植えつけた。

それは宗教的なものではなく、伝票の書き方、会議の進め方といった細かい仕事の作法の積み重ねであった。そこから変えていくことで、ＪＡＬ社員が仕事に取り組む姿勢は様変わりした。

大雑把な中期計画しか持たなかった会社が、部門別で日ごとの収支を管理するようになり、「自分は今日、会社の利益に貢献したのか、それとも赤字を作ってしまったのか」が一目で分かるようになった。稲盛が編み出した「アメーバ経営」の威力である。

甦る保証のない「戦後最大の倒産」

3月19日の記者会見。植木の説明が終わると、明るいグレーのスーツに赤いネクタイを締めた稲盛は、いつもの淡々とした調子で話し始めた。

「着任したとき、3年間は全力投球させていただく、とお約束いたしました。その3年が過ぎましたので、6月の株主総会を待たず、3月末で退任させていただくことを本日の臨時取締役会で認めていただきました」

「3年前、航空業界の素人で全く無知な自分が、無謀にも大役を引き受けたのは、JALの3万2000人の雇用を守りたい、日本経済への影響を食い止めたい、という思いからでした」

「JALの社員が倒産という死の淵から立ち上がり、私の考え方や経営手法を受け入れてくれたことで、業績はみるみる回復しました。自分でも信じられないくらいの、すばらしい成果を残せたと思っております。皆様のご支援に心から感謝申し上げます」

東京地裁に会社更生法の適用を申請したとき、JALが抱えていた負債総額は2兆322

1億円。事業会社としては戦後最大の倒産だった。

当時、政権交代で国民の期待を背負って誕生した民主党政権は、自民党政権時代からの懸案だったJALの再生に「法的整理」という劇薬を使った。

裁判所の力で7300億円の債務をカットし、5万1000人の社員を3万2000人に削減し、その上で政府系ファンドの企業再生支援機構が3500億円を出資、日本政策投資銀行が6000億円を融資した。結果として、3500億円の出資金は再上場により3000億円以上のキャピタルゲインを国家にもたらし、6000億円の融資もJALは全額返済した。

国主導の手厚い支援ではあったが、すべて法律の範囲内である。しかし、それでもJALが甦る保証はなかった。

問題は企業再生支援機構が描いた再建計画を「誰が実行するか」だった。

「生還率7%」の闘い

JALは8つの労働組合を抱え、政治や行政とのしがらみも多い。かつて何度も経営危機に陥ったが、その都度、国の支援で救われてきた。

ＪＡＬの幹部は本物の官僚より官僚的で、お金を稼ぐことよりも社内調整や政府との交渉にいそしむことが「仕事」と考える人々が経営層を支配してきた。「病んだ大企業」の典型といえる。

「計画は一流、言い訳は超一流」

立派な再建プランを過去に何度も反故にしてきたのが、ＪＡＬという会社である。そんな会社の再建を買って出ようなどという奇特な経営者を探すのは至難の業だった。

おまけに民主党は経済界とのコネクションが薄く、無理を頼める経営者の数には限りがあった。というより、こんな厄介な会社の再建で民主党が頼れるのは、財界人の中でも数少ない民主党支持者である稲盛しかいなかった。

この再建は稲盛にとって、最初から勝ち目のある闘いではなかった。

破綻後、ＪＡＬの株価は1円まで下落した。市場関係者の多くは「会社更生法の適用が認められても、再生は難しい」と見ていたからだ。

帝国データバンクが過去50年にさかのぼって会社更生法の適用を申請した企業のその後を追跡調査したところ、申請した１３８社のうち４割の企業が破産や清算などの二次破綻を経て消滅していた。株式の再上場を果たしたのは９社のみ。

「生還率７％」の闘いである。

ＪＡＬが会社更生法の適用を申請した２０１０年1月に企業再生支援機構が発表した「日本航空に対する支援決定について」という再建プランに対しても、専門家の多くが「二次破綻が懸念される」「プランは実現性に乏しい」と懸念の声を上げた。

そんな絶望的な状況の中で、80歳を目前にした稲盛は火中の栗を拾った。

なぜか。

稲盛はこれまでの記者会見やインタビューで、３つの大義を挙げている。

2万人近くの人員削減を実施した後に残った3万２０００人の雇用を守ること。日本の航空業界の大手が全日本空輸（ＡＮＡ）1社となり、健全な競争がない独占状態に陥ることを防ぐこと。ＪＡＬの再生失敗が与える日本経済への悪影響を食い止めること、の３つである。

しかし、稲盛には心に秘めた、もっと大きな狙いがあった。稲盛がＪＡＬ再建を引き受けた本当の理由。それは日本という国に、経営者としてのラスト・メッセージ、つまりは遺言を遺すことだった。稲盛は言う。

「ＪＡＬという企業が腐っていることは、日本中の誰もが知っていました。再生は不可能だと思っていたでしょう。その『腐ったＪＡＬ』を立て直せば、苦境に陥っているすべての日本企業が『ＪＡＬにできるのならば俺たちにもできるはず』と奮い立ってくれる。そこから日本を変えられる。そう思ったのです」

急峻な谷を前に尻込みをする家来に向かって、谷を降りていく鹿を指差し、「鹿に降りられるものが、馬に降りられぬ道理はない。我に続け」と言った源義経の『鵯越《ひよどりごえ》』に倣い、一点突破で日本の難局を打ち破ろうとしたのだ。

しかし、谷の上で尻込む日本の経営者たちは、稲盛の後に続こうとはしなかった。

「JALは政府に贔屓されている」

3月19日の記者会見で、再生への支援に対する感謝を述べた後、一呼吸おいて稲盛はこう切り出した。

「1つだけ気になることがあります。こうして（再建が）うまくいったことを、誹謗中傷する方々がおられます。せっかく這い上がってきたJALの社員を温かく見守っていただくのではなく、彼らを叩こうとする。これが社会というものなのか、と心を痛めております」

稲盛が「心を痛めている」というJALに対する非難は、大きく分けて2つある。

1つは納税の問題だ。

会社更生法の適用を受けた会社は、破綻処理に伴う繰越欠損金を最終利益と相殺することで法人税の控除を受けられる。JALの場合、その金額は今後9年間で3000億円から4

000億円に達すると見られる。

競合するANAにすれば、たまったものではない。経営破綻した会社が優遇税制で強くなりすぎて、健全な会社を破綻に追い込む。米国の航空業界などで起きている現象が、日本でも起きかねないわけだから、「公平公正な競争環境にしてほしい」というANA経営陣の主張も分かる。

しかし、それは会社更生法という制度の問題であり、JALだけが特別扱いを受けたわけではない。このことをもって、JAL社員の自助努力や稲盛の経営手腕に対する評価を貶める必要はないはずだ。しかし世間には「JALは政府に贔屓されている」というイメージが広がった。

もう1つはインサイダー疑惑だ。

JALは2011年3月に第三者割当増資を実施した。このとき増資を引き受けた京セラ、大和証券グループなど8社に対し、「値上がり確実な未公開株で大儲けした」という疑いの目が向けられた。

稲盛は記者会見でこう反駁した。

「あのとき、再建のために500億円ほど資本が足らないことが分かり、たくさんの会社に奉加帳を回しましたが、なかなか応じてもらえず、やっと応じてくれたのが8社だったのです」

ＪＡＬは経営破綻のときに１００％減資を実施しており、株券の価値はいったんゼロになっている。追加増資を決めた２０１１年３月の時点では、まだ二次破綻の懸念も色濃く残っていた。この問題を１９８８年のリクルート事件に擬する報道もあったが、どこから見ても成長企業だった当時のリクルートと、再生が危ぶまれていたＪＡＬでは状況が違う。

ＪＡＬの株を「喜んで持とう」という会社はほとんどなかった。にもかかわらず、この増資は「第二のリクルート事件」と批判する人が現れ、京セラや大和証券はインサイダー取引の疑いをかけられた。

「非常に寂しい思いをしました」

記者会見で稲盛は悔しそうな表情を浮かべた。

航空業界の素人が起こした怪現象

「日本を奮い立たせよう」という稲盛の思いはなぜ、届かなかったのだろうか。

考えられる理由の1つは、皮肉なことだが、ＪＡＬ再生が鮮やかすぎたことだ。

２０１１年3月期のＪＡＬの営業利益は約１８００億円で、更生計画の目標を約１２００

億円も上回った。２０１２年３月期は２０４９億円で過去最高を更新した。２０１２年９月には東京証券取引所に再上場。破綻から2年8カ月での再上場という最短記録を打ち立てた。数字は文句のつけようのない「Ｖ字」を描いて回復した。

稲盛が乗り込む前のＪＡＬがどんな会社だったかといえば、２０００年度から２００８年度まで、ほぼ毎年、営業赤字と営業黒字を行ったり来たりする会社だった。赤字になるとあわてて蛇口を閉めるが、黒字になるとすぐ緩む「だらしのない体質」が染み付いていた。

そんな会社が「1年や2年で、簡単に変わるはずがない」。

ＪＡＬをよく知る専門家ほど、そう思った。だから、彼らは自分たちの理解を超えたＶ字回復に当惑し、この「怪現象」を説明するため「あれだけの公的資金を投入すれば、回復するのは当たり前」と言い始めた。彼らの多くは再上場前に「二次破綻は必至」と唱えてきた人々である。

ＪＡＬのＶ字回復は稲盛自身の予想も超えていた。２０１２年３月期の決算を見ると、売上高は破綻前に比べて4割近く減っている。運航路線の絞り込みや関連事業の売却を進めたからだ。それでも過去最高の利益が出たのは、営業費用を5割減らしたからだ。

営業費用を半減すればサービスの質が低下してもおかしくないが、そうした問題は起きなかった。パイロットや客室乗務員をはじめとする現場の社員が、給与や年金を削られながら、踏ん張ってサービスの質を維持したのだ。

稲盛が持つカリスマ性も、世間の誤解を招いた要因の1つだろう。「航空業界の素人で、全くの無知だった」という稲盛が、JALに乗り込むときに携えていったのは「フィロソフィと部門別採算制度のアメーバ経営の2つだけだった」。

1997年に臨済宗妙心寺派円福寺で得度し「大和」の僧名を持つ稲盛は、仏教用語をよく使う。稲盛は中小企業の経営者を中心に8000人の塾生を擁する「盛和塾」でも、フィロソフィとアメーバ経営を教えるとき、法話に近い話を好んでする。

稲盛の法話をきちんと咀嚼すれば、フィロソフィは「ミッション・ステートメント（企業の使命を分かりやすく示した標語）」であり、米国のグーグルやスターバックス、アマゾン・ドット・コムといった新興企業も、それぞれのミッション・ステートメントを掲げて、求心力につなげている。

管理会計の一種であるアメーバ経営は、トヨタ自動車の「カンバン方式」や米ゼネラル・エレクトリック（GE）の前会長、ジャック・ウェルチが唱えた「シックスシグマ」などに近い経営科学である。

ところが、稲盛が仏教用語を交えて、フィロソフィやアメーバ経営を語ると、どうしても

「精神論」に聞こえてしまう。それゆえＪＡＬ再生も「あれは稲盛教だから」と特別視され、Ｖ字回復という事実を真剣に見ようとしない風潮につながった。

稲盛が取締役としてＪＡＬに在籍した１１５５日をつぶさに追うと、Ｖ字回復が、手品でも宗教でもないことが分かる。稲盛は倒産という死の淵に立ったＪＡＬの社員に経営者マインドを植えつけ、言い訳ばかりの高学歴集団を「闘う会社」に変えていった。

経営者としての最後の闘い

再び3月19日の記者会見。

経営の一線を去るにあたり、国際競争力を失いつつある多くの日本企業の経営者へのメッセージはあるか、と問われると、稲盛はこう言った。

「日本企業のリーダーは、もっと強い意志力で会社を引っ張っていかなければならない。経営には格闘技と同じように闘魂がいる。闘志なき経営はダメだ。経営者は、自分の会社を何としても立派にしてみせる、という闘魂を燃やしてほしい」

「もうこれで、会社の経営からは完全に手を引きます。頼まれても引き受けるつもりはない」。この日、完全引退を宣言した稲盛から、日本の経営者に向けた切実な懇請だった。

ＪＡＬでの１１５５日間は、稲盛にとって経営者として最後の闘いだった。

ＪＡＬに乗り込んだ当初、稲盛は土曜、日曜も出社して朝9時から夕方6時まで１００人を超えるＪＡＬのすべての子会社の社長と1時間ずつ、延べ１００時間超の面談をこなした。昼食をとる時間がないと、秘書が1階のコンビニエンスストアで買ってきたおにぎりを頬張った。齢80歳にならんとする稲盛が見せたすさまじい闘魂は、３万２０００人のＪＡＬ社員を奮い立たせた。

「おそらく、命を縮められたことと思います」

稲盛の「最後の闘い」を間近で見てきた社長の植木はそう振り返る。

「ＪＡＬ再生」は経営者・稲盛和夫から日本への遺言である。

だが「後は頼む」と日本再生を託された我々は、稲盛のメッセージを正確に受け止めただろうか。

27歳で京セラを創業し、第二電電（ＤＤＩ、現ＫＤＤＩ）を立ち上げた稲盛は「これが最後」と思い定めてＪＡＬ再生の陣頭に立った。

「よく見ておけ、これが経営だ」

これは現代日本屈指の経営者、稲盛和夫のＪＡＬ再生を追った１１５５日の記録である。

1章

ファーストスクラム

記者会見場に置かれた米ボーイング787の模型と稲盛（写真提供：日本経済新聞社）

あんたには1銭も預けられない

２０１０年春、稲盛がＪＡＬ会長に就任してから数カ月がたったある日。

東京都品川区、天王洲アイルにあるＪＡＬ本社25階の役員会議室で、会議はいつものように淡々と進んでいた。

自ら「航空業界の素人」と称していた稲盛は、会長になってから最初の数カ月、飛行機の整備工場や空港に足を運び、現場の社員の声を聞いた。本社では１００社近い子会社の社長、１人ひとりと面談して、ＪＡＬという企業のこと、業界のことを学んだ。

その間、経営にはあまり口を出さなかった。

だがこの日は違った。10億円程度の予算執行について説明する執行役員の話を、会長の稲盛が突然、遮った。

「あんたには10億円どころか、１銭も預けられませんな」

部屋の空気が凍りついた。

これまでのＪＡＬの経営会議なら、問題になる金額でも、案件でもない。予算執行の承認は単なるセレモニーのはずだった。

（いったい、どこがいけないんだ）

総勢30人の役員、管財人は息をのんだ。

説明していた執行役員もそう思ったのだろう。勇気を振り絞って、ささやかな抵抗を試みた。

「お言葉ですが会長、この件はすでに予算として承認をいただいております」

余計な一言だった。

「予算だから、必ずもらえると思ったら大間違いだ」

稲盛は机を叩かんばかりの剣幕で怒った。

「あんたはこの事業に自分の金で10億円を注ぎ込めるか」

「いや、それは……」。執行役員が言いよどむ。

「その10億円、誰の金だと思っている。会社の金か。違う、この苦境の中で社員が地べたを這って出てきた利益だろう」

「はい」

「あんたにそれを使う資格はない。帰りなさい」

この日を境にＪＡＬから「予算」という言葉が消えた。「予算」という言葉には「消化する」という官僚的な思考が潜む。稲盛が最も嫌う考え方だ。ＪＡＬの社内文書で使われるすべての「予算」は「計画」に置き換わった。

「帰れ」と言われた執行役員が翌週の会議で「10億円がなぜ必要か」をきちんと説明すると、稲盛はその案件をすんなり認めた。

「金額が多いとか少ないとか、そういうことではなかったと思います。どんな案件でも手を抜かず、真剣勝負でかかってこい、という心構えを言われたのだと思う」

一部始終を見ていたある役員は言う。

「それは違う」

「ダメだ」

「分かってない」

その日を境に稲盛は、ことあるごとに経営陣の考え方を否定した。当時、執行役員運航本部長だった植木義晴（現社長）は「カチンときた」と言う。

会社がつぶれても飛行機が飛んだ

この時期、稲盛はＪＡＬの役員たちに、昔の自分の話をした。

鹿児島大学を出て京都の松風工業という高圧電線向けの碍子《がいし》メーカーに入った頃の話。経営難に陥っていた松風で、自分の開発プロジェクトを取り上げられそうになり、７人の仲間と松風を飛び出して京セラを作った話。その京セラを「町一番の工場にしよう」と寝食を忘れて仕事に没頭した話。

稲盛の話は面白かったが、なぜいまそれを自分たちにするのか。

「意味が分からなかった」

当時社長だった大西賢（現会長）は振り返る。

だが、稲盛はとつとつと話し続けた。

「俺は経営者として、こんなふうに生きてきた」

自分の経営観、人生哲学を語ることで、稲盛は「自分はこういう経営をしたいんだ。いっしょにやってくれないか」とＪＡＬの経営陣に語りかけていた。

稲盛から見ると、ＪＡＬ役員は総じて当事者意識が薄かった。問題はＪＡＬの倒産の仕方にあった。

２０１０年1月19日にＪＡＬが会社更生法の適用を申請したとき、最初から官民ファンドの企業再生支援機構がスポンサーにつくことが決まっていた。その少し前に米ゼネラル・モーターズ（ＧＭ）が使った「プレパッケージ型」という法的整理の手法である。

企業再生支援機構や日本政策投資銀行といった政府系の機関が、あらかじめ運転に必要な資金を準備しておき、ＪＡＬは破綻後にスポンサー探しに奔走しなくても営業を続けられた。資産を凍結されることもなかった。世界各地での給油や機内食の調達も滞ることはなく、毎日、世界で約１０００便飛んでいるＪＡＬ機は1便も運航を止めなかった。

「社会インフラであるエアラインを止めない」

政府はＪＡＬの破綻処理にあたって、それを最優先にした。狙いは見事に成功し、飛行機は何事もなかったかのように飛び続けた。だがＪＡＬ経営陣には深刻な副作用が残った。「会社がつぶれた」という現実を肌で感じる機会がなかったのだ。役員だけでなく、社員も同じ状況だった。

「破綻のニュースを聞いて、びっくりして会社に行くと、いつも通りに飛行機が飛び、いつも通りの仕事がありました。本当につぶれたのかな、というのが正直な感想でした」

関西国際空港で勤務していた地上職の若手女性社員は、こんな感想を漏らしている。

いたずらに混乱せず、いままで通りに粛々と働くことが再建につながるから、現場はそれでよかったかもしれない。

だが経営陣がそれでは困る。会社更生法の適用が認められれば、金融機関から借りていた5000億円強の借入金を踏み倒すことになり、100％減資で株式は紙切れになる。2万人近い人員削減も避けられない。不採算路線から撤退すれば利用者にも不便をかける。

ステークホルダーにこれだけの迷惑をかけておきながら「JALは公共性の高い会社だから救ってもらって当然」という考えが、経営陣のどこかに残っていた。

「お飾り」として座ってくれればいい

稲盛の秘書を長く務め、その「フィロソフィ（経営哲学）」を植えつけるために京セラから会長補佐、のちに専務執行役員としてJALに来た大田嘉仁も、JALの経営陣と話してみて、稲盛と同じ感想を持った。

「まず当事者意識がない。リーダーとしての自覚もない。自分の会社でこれだけのことが起きたのに、私は関係ありません、という顔をしている。部門間の横の連携はほとんどなく、誰もタコツボから出ようとしない。本当にこれで再建ができるのか、と思いました」と大田は言う。

　危機感を持った大田は、JALに着任してから3週間ほどたったある日、稲盛と社長の大西に1本のリポートを提出した。

「JALを普通の民間企業にするためには、幹部の意識改革が不可欠。そのためのリーダー教育を実施する必要がある」

　元々、大田にJALの意識改革を頼むつもりだった稲盛はすぐに認めたが、JALの社内と企業再生支援機構からは反対の声が上がった。

　企業再生支援機構の実務担当者は「JALを再生する主役は俺たちだ」と意気込んでおり、稲盛の指揮下に入る気はなかった。いくら過去に実績があるとはいえ、80歳に近い稲盛にJAL再建の実務がこなせるとは思えない。実務は自分たちに任せて、「お飾り」として座っていてくれればいい。それが本音だった。

　しかし、稲盛は会長を引き受けた以上、「お飾り」になるつもりなど毛頭なかった。自らの手でJALを再離陸させるのが使命だと思っていた。

　大田はすぐにでもリーダー教育を始めたかったが、機構とJALの幹部たちは「いまはそんな悠長なことをやっているときではない」と抵抗した。そもそも「リーダー教育」とは何なのか。

「マネジメント教育のことですよね」とJALの幹部が尋ねると、大田は「違う、リーダー教育だ」と言う。

稲盛の経営を知らない人々はリーダーとマネジャーの違いが分からない。稲盛は高い志と闘志を持ち、私心なく集団を引っ張る指導者を「リーダー」と呼び、決してマネジャー（管理者）とは呼ばない。アメーバ経営の小集団を率いるのもマネジャーではなくリーダーだ。稲盛や大田が「意識改革のために必要だ」と考えたのは、管理手法を教えるマネジメント教育ではなく、指導者としての心構えを作るリーダー教育だった。

「やる」「やらない」の押し問答が2カ月近く続き、ようやくリーダー教育の推進母体となる意識改革推進準備室ができたのは5月1日のことだった。

それでもまだ問題が残った。リーダー教育の期間だ。

大田はJAL幹部の意識を徹底的に変えるため、「1日3時間の研修を1カ月間に25回。日曜日以外は全部やる」と提案したが、機構とJAL幹部は「それでは日常の業務に支障が出る。週に1回が精いっぱいだ」と主張した。

「それでは意味がない」

大田が押し返し、最終的には、1カ月間に17回開くことになった。

「では、どこのコンサルタント会社に頼みましょうか。社員教育専門のところがいいですよね」

リーダー教育の実施が決まると、ＪＡＬの幹部が大田に尋ねた。

「カリキュラムは自分たちで作るんだよ」

大田が言うと、ＪＡＬの幹部は目を丸くした。

「ちゃんとしたところに頼まなくていいんですか」

「自分たちでやるから意味がある」

「では、司会や講師はどこにお願いしましょうか」

「司会や講師も自分たちでやらなくてはならない」

「自分たちで、ですか」

ＪＡＬの幹部は言葉を失った。

ＪＡＬは一流企業だから、研修も一流企業らしく、大手のコンサルタントに頼むのが当たり前。そんな考え方が染み付いていた。

製造業とサービス業のカルチャーの違い

すれ違いは続く。

大田は稲盛のフィロソフィをＪＡＬに浸透させるため、稲盛のスローガンをポスターにしてオフィスに貼ろうと提案した。

「新しき計画の成就は只　不屈不撓の一心にあり　さらばひたむきに只想え　気高く強く一筋に」

稲盛が尊敬する思想家、中村天風の言葉である。

中村は帝国陸軍の諜報員、高等通訳官を務めた後、インドでヨーガの修行をし、孫文の辛亥革命にも関わった人物だ。晩年は「統一哲医学会（のちの天風会）」を通じて、波瀾万丈の人生の中で生み出した思想を広めた。

「人間が生きていくのに一番大切なのは、頭の良し悪しではなく、心の良し悪しだ」

中村の格言には、こうしたシンプルなものが多く、松下電器産業（現パナソニック）の創業者、松下幸之助や小説家の宇野千代もスピーチなどで好んで引用した。稲盛の話にも中村の格言がよく出てくる。

だがＪＡＬの幹部たちはこのポスターを嫌がった。

大田がどうしても貼れと言うと「リストラ中だからポスターを刷るお金がない」と言う。

「それなら京セラで刷ってくる」。そこまで言うと、ＪＡＬ幹部たちは渋々、従った。

エリート集団のＪＡＬ社員にとって、稲盛流の意識改革はある意味で苦痛だった。大田が稲盛の標語を分かりやすく解説した「フィロソフィ手帳」を作って全社員に持たせることを提案したときも、「それだけは勘弁してくれ」と抵抗した。

「せめて胸ポケットにスマートに入るカード型にしてもらえませんか」

ＪＡＬ幹部は妥協案を出した。

作業着の胸ポケットなら手帳を入れても目立たないが、スーツのポケットはどうしても膨らんでしまう。製造業とサービス業のカルチャーの違いがこんなところにも表れていた。

大田は妥協案を言下に却下した。

「精神論につきあう暇はない」

２０１０年6月、リーダー教育が始まった。

本社25階の役員会議室に幹部社員を集め、稲盛が話し始めた。

「あなたたちは一度、会社をつぶしたのです。本当ならいま頃、職業安定所に通っているはずです」

官僚的な思考が抜けないＪＡＬの役員に対して稲盛はあえて厳しい言葉を使った。

だが、この時点でもまだＪＡＬの役員には、「こんなことをしている場合ではない」という思いが強かった。

　更生計画の提出期限が6月末に迫っていた。

　計画が裁判所に認めてもらえなければ、ＪＡＬの再建は頓挫する。固定費はどれだけ減らせるのか。確実に見込める利益はどれだけか。将来に向けて蓋然性のある成長戦略を描けるか。限られた時間の中で、やるべきことは山のようにあった。

　しかも飛行機は毎日、飛び続けている。日常業務はいつも通りにこなさなくてはならない。いきおい更生計画の策定作業は深夜に及んだ。残業に次ぐ残業、徹夜に次ぐ徹夜で現場の社員は疲労困憊していた。「この非常時に部下を残して、なぜ自分たちが研修など受けねばならないのか」。ＪＡＬ経営陣は当惑を隠せなかった。

　一方で、稲盛の話に興味を持つ幹部もいた。京セラ、ＫＤＤＩの売上高は合わせて約5兆円。それをゼロから生み出した偉大な起業家は、いったいどんな話をしてくれるのか。「忙しい、忙しい」と言いながら、ある種の期待感を持って会議室に足を運んだ役員もいた。

　しかし、稲盛の話が始まると、その多くが唖然とした。

「利他の心を大切に」

「ウソを言うな」

「人をだますな」

稲盛が説いたのは、まるで小学校の道徳の教科書に出てくるような話ばかりだった。

「このくそ忙しいときに、なんでこんな話を聞かなければならないのか」

いまの窮地を脱するための秘策を求めて集まった役員たちの期待は、不満に変わった。

「製造業からやってきた老人が更生計画作りの邪魔をしている」

更生計画の策定を急ぐ企業再生支援機構のメンバーからも批判が出た。

当時を振り返って稲盛は言う。

「JALの人たちは、何を子どもに教えるようなことを、と思ったでしょう。そう顔に書いてあった。話していても、ああ響いていないなあ、と分かりました。でもここを通ってもらわないと、部門別採算（アメーバ経営）に進んでも会社は変わらない。粘り強く説き続けました」

稲盛は1カ月間、道徳の先生のような話を懇々と続けた。

稲盛の話が終わると、その場で「コンパ」が始まる。1人1500円の会費を徴収し、柿の種やスルメをつまみ、缶ビールを飲みながら議論するのだ。京セラでも第二電電でもやってきた稲盛のスタイルである。

しかしJALの役員は、これも気に入らない。

役員会議室は会社の重要事項を決める神聖な場所である。しかも、いまこのときも部下は階下で懸命に更生計画を作っている。缶ビールなど飲んでいる場合か。

「お先に失礼します」

「こっちに来て、もう少し飲まんか」という稲盛の誘いを断り、多くの役員がそそくさと家路についた。残業を続ける部下のもとに駆けつける役員もいた。

「精神論につきあう暇はない」

そう言ってはばからない役員もいた。

孤軍奮闘する稲盛の姿を横で見ていた大田は、「見ている私の方がつらかった」と振り返る。

自分への反発は稲盛自身も感じていたが、それはＪＡＬ再生を実現する上で、何としても乗り越えなければならない壁だった。

「高学歴でプライドの高いＪＡＬの役員は心に鎧を着ていました。私が話したのは、昔なら学校の先生や親が子どもに教えたような話です。あまりにプリミティブ（初歩的）で、いまさらみっともなくて肯定できない、と思ったかもしれません」

「しかし頭で分かっていても、実践できている人は少ない。それを分かってもらいたかった」

「このじいさんの力量は本物か」

転機はある日、突然、やってきた。

リーダー研修も中盤に差し掛かった6月下旬、1人の役員が立ち上がって、こう言った。

「私が間違っていました。稲盛さんの言うような経営をしていたら、ＪＡＬはこうなっていなかったかもしれない」

池田博。

１９７２年の入社でＪＡＬの中枢である経営企画畑を長く歩み、当時は定期国際便を運航していたグループ会社ＪＡＬウェイズの社長を務めていた。２０００年に最年少で執行役員になり、同期で社長になった西松遥を支えた。２００２年のＪＡＬ・ＪＡＳ統合では、当時のＪＡＬ社長、兼子勲のブレーンとして活躍した。破綻がなければ、ポスト西松の有力候補だった。

破綻後のＪＡＬに残った経営陣の中で西川建人と並ぶ古参の池田は、周囲から一目置かれる「番長」のような存在であり、若手の役員たちは池田が稲盛に対してどういう態度をとるのか、じっと見ていた。池田は、はじめのうち態度を鮮明にせず、稲盛の言動を注意深く観察していた。

「このじいさんの力量は本物か」

膨れ上がった年金債務、不採算路線、8つの労組。破綻前、JALの中枢にいた西松や池田は、過去の経営陣が残した負の遺産と闘ってきた。自分は「JALがなぜ倒産したのか」を最もよく知る人間の1人だ、という自負が池田にはある。

決めるのは経営企画、稼ぐのは営業、飛ばすのは運航、客室、空港、整備。破綻前のJALは各事業部が勝手な方向を向いて動いていた。そこに組合や政治が絡み、誰も収支責任を負わないまま赤字の海に沈んだ。

ある幹部が打ち明ける。

「例えば、ある年は、経営企画が『今期の営業利益目標は500億円』と決めて、各事業部に伝えてくる。しかし当事者意識がない事業部の方は『誰が稼ぐんだ』と思っているから、結局、計画は達成できない。すると経営企画はマクロ、ミクロの材料を組み合わせて見事な言い訳を作る。そんなことの繰り返しでした」

「絵に描いた餅」を美しく描くのが仕事の経営企画が組織の頂点に立ち、稼ぐことより労組や政治家、官僚とうまく折り合って既得権を守ることに重きが置かれた。社内では仕事の成果よりコネがものを言う情実人事がまかり通った。

「ひよこ軍団」に経営ができるのか

そんな閉塞状態の中で起こったのが２００６年の「４人組事件」である。子会社の役員４人が当時のＪＡＬ社長の新町敏行らに退任要求を突きつけた。新町は４人を解任しようとしたが、部課長級の多くが４人組の支持に回り、新町は退任に追い込まれた。しかし４人組の中からも社長は生まれず、どちらの派閥にも属さない中立派として西松が社長に選ばれた。

長く財務畑を歩いてきた西松は、ＪＡＬの台所事情に通じており、放置すれば会社の余命が長くないことを知っていた。西松は大胆なコスト削減を進めるため、まず自分の給料を部長級の年収９６０万円に下げた。ベテラン機長の３分の１だ。黒塗りのハイヤーを使わず電車通勤し、昼は社員食堂に通った。派閥抗争の反省から、自分を含む役員の個室をなくし、大部屋にした。その西松を参謀としてサポートしたのが池田である。

だが西松が本丸に踏み込む手前の２００８年にリーマン・ショックが起こり、ＪＡＬの資金繰りが行き詰まった。西松は金策に追われるだけになり、改革はそこで止まった。

ＪＡＬという会社の現実を嫌というほど見てきた池田は、稲盛がする中村天風の話を「胡散臭い」と思った。そんな精神論で、この複雑な会社は動かせない。

リーダー教育も終盤に差し掛かったある日。池田は相変わらず冷めた気持ちで稲盛の話を聞いていたが、稲盛が発した一言が妙に耳に残った。

「全社員が本気にならなければ、再建はできませんよ」

経営企画で自分は最善の経営計画を作ってきた。だがそれは下から上がってくる数字をもとに練った計画だった。与えられた数字をベースに考えるのではなく、自分自身が現場に下りて考えていたらもっといい経営計画が作れたかもしれない。

アメーバ経営では、リーダーに「自分のアメーバ（小集団）の数字は、すみからすみまで把握しろ」と教える。稲盛の言う「全員参加の経営」ができれば、JALは復活するのではないか。そう思えてきた。

「じいさんの言っていることがすべて正しいと、全面降伏したわけではない。受け入れられない部分もあった。しかしゼロから会社を作ったたたき上げの人間にしか言えない、正しい部分もあった。自分で正しいと思ったことは、下に伝えるべきだと思った」

JALウェイズに戻ると池田は「池田塾」を開き、社員に稲盛哲学を伝え始めた。

池田の影響力は大きかった。倒産直後のJALには3つのタイプの役員がいた。1つは「頑張ってきたが会社を救えなかった」と茫然自失になっているタイプ。もう1つは「とりあえず稲盛に恭順を示して出世しよう」というタイプ。そして池田のように「つぶれた原因は分かっているが、稲盛に託していいものか」と様子を見ていたタイプである。

　3つ目のタイプの筆頭にいた池田が「稲盛に従う」と宣言したことで、経営陣のベクトルは1つの方向にそろった。「私が間違っていました」という池田の発言は、ばらばらだった経営陣を1つにまとめることを狙ったものでもあった。

　兼子勲が社長だった時代からJALの中枢を支えてきた経験を持つ池田は、破綻後に、にわかにトップに抜擢された大西や植木を「ひよこ軍団」と呼ぶ。

　整備畑の大西とパイロット出身の植木。JALのトップに立つキャリアパスを経ていない2人に対し、「おまえたちにJALの経営ができるのか」という思いもあった。

　稲盛も同じことを考えていた。「間違っていました」発言の後、コンパの席で稲盛は池田を誘っている。

「どうだ、いっしょにやらんか」

　だが「JALを救えなかった自分たちが残るわけにはいかない」と池田は考えた。

「まあ頑張れや」

　2010年12月、池田は大西にそう言い残してJALを去った。

ＪＡＬのコックピットを掌握

稲盛がＪＡＬに乗り込んだ最初の２００日。それは「会社とはこういうものだ」というＪＡＬ役員の既成概念と、「会社はかくあるべし」という稲盛の哲学がぶつかり合った期間だった。

ラグビーではゲームが始まってから最初に組む「ファーストスクラム」が勝敗を左右するという。実際に押し合ってみて、どちらのフォワードが強いのかがはっきりする。稲盛は大切なファーストスクラムを制した。

稲盛はこう振り返る。

「私がしたのは、田舎のおっさんがするような話ばかりでしたから、普通の会社のインテリだったら、耳につかなかったかもしれません」

「しかしＪＡＬは倒産し、薄板１枚で海に浮かんでいる状態だった。いうなれば難破船です。そこからどう這い上がるか。彼らの中にも、何とか生き延びたいという意思があった。だから私の話が染み透ったのだと思います」

稲盛の分析は正しい。会長の大西が言う。

「社長になって、私が社員に言ったのは『とにかく過去と決別しよう』ということでした。会社を根っこから作り変えようと思ったのです」

「しかし、作り直すといっても、どんな会社にすればいいのか。全くの白紙なわけです。倒産した会社というのは、頼るものがない。そこに経営者として50余年の経験を持つ稲盛さんがいらっしゃった。教えてもらいたい、教わるしかない、と思いました」

倒産直後の役員分類でいえば、大西は茫然自失のタイプに近かった。

稲盛がリーダー教育を強引に実施したこともあって、更生計画の提出は2カ月延びた。だが研修が終盤に差し掛かる頃には「無駄なことを」と言う役員はいなくなっていた。確固たる信念に裏打ちされた稲盛の言葉は、雨だれ石をうがつがごとく、JAL役員の心に染みていった。

100日余りの冷戦を経て、稲盛はJALのコックピットを掌握した。

「いったい、役員フロアで何が起きているんだ」

リーダー教育が始まってからしばらくすると、池田のように稲盛に感化されて帰ってくる役員が続出し、その変貌ぶりに驚いた社員たちはリーダー教育の中身に興味を持ち始めた。

「そんなにすごい研修なら、自分たちも受けてみたい」

部長たちがそう言い始めた。

リーダー教育を仕掛けた大田にすれば、狙い通りの展開だったが、問題は場所である。リーダー教育の対象は100人に満たないが、全社員3万2000人を教育するには広大なスペースがいる。リストラでオフィススペースをぎりぎりまで切り詰めたJALに、そんな場所はない。

大田が困っていると、整備本部の幹部が助け舟を出した。

「そういえば、羽田空港に倉庫が1つ空いてますよ」

とはいえ倉庫は倉庫である。大勢の人間を集める研修所として使うためには、大掛かりな改装が必要だが、更生計画中の会社に、そんな余裕はない。

「自分たちでやるしかないな」

大田はお金をできるだけ使わずに、手作りで倉庫に教室を作る提案をした。JALの社員も手伝うという。以前のJALでは考えられない光景だが、休み時間に社員総出で倉庫に繰り出し、そこら中に転がっていた資材を片付け、ベニヤ板で間仕切りを作った。

こうして2011年4月、机も椅子もバラバラの手作り教室が完成した。

2章

経営に禁句はない

JALの入社式で社員らが投げた紙飛行機を拾う
（写真提供：時事）

目的は社員の幸福を追求すること

最初の200日。稲盛はＪＡＬの役員と激しく激突した。だがＪＡＬの社員に対しては、稲盛は全く別の顔を見せていた。

ＪＡＬに着任した2010年2月1日。稲盛は、ＪＡＬ本社2階のウイングホールに幹部社員200人を集めた。

まず「チーム稲盛」が紹介された。チームといっても、稲盛がＪＡＬに連れてきたのはたったの2人だった。

部門別採算制度を使って中小企業の経営改善を支援する、京セラグループの経営コンサルタント会社ＫＣＣＳマネジメントコンサルティング会長で、「アメーバ経営の伝道師」の森田直行。長く稲盛の秘書を務め、稲盛哲学を知り尽くした大田。3月下旬には、カメラのヤシカ、複写機の三田工業（現京セラドキュメントソリューションズ）など、京セラが支援した企業の立て直しに取り組んできた「再建のプロ」米山誠が加わることになるが、このときは2人だけだった。

紹介が終わると、稲盛の話が始まった。稲盛はまず、中村天風の話から入った。

しかしＪＡＬの社員には、なぜここで稲盛が中村天風の話をするのかが分からない。稲盛は続けた。

「皆さんの中には、楽をして儲けたい、有名になりたい、といった利己心や邪な心があるでしょう。それが人間として普通の状態です」

「しかし、皆さんの中にはもう1つの心があります。不平不満を言わず、人様に良くしてあげようという美しい心。良心です。利他の心とも言います」

「それは、努力をして呼び覚まさないと出てこない。心を整理して、浄化して、良心を目覚めさせなければなりません。大義のために苦労をしましょう。そうすればきっとすばらしい人生が開けてきます」

ＪＡＬの幹部たちが、きょとんとして聞いているうちに、話は思わぬ方向に進んでいった。

「会社の経営の目的とは何でしょう。利益を上げる、顧客に良いサービスを届ける。いろいろあるでしょうが、私は経営の一番の目的は社員の幸福の追求にあると思います」

「高齢の私は他の仕事もあって、毎日ＪＡＬに来るわけにはまいりません。だから無給で働きます。週に3日ほどしか来られませんが、何としても今回の更生計画をやり遂げるつもりでいます。その目的は社員の幸福を追求することです」

一息入れて、稲盛は宣言した。

「株主のためでも、管財人のためでもない。『全従業員の物心両面の幸福の追求』。経営の目標をこの1点に昇華して、ＪＡＬの再建に取り組みたいと思います。そのために、経営情報はすべて社員にオープンにします」

コンパでおしぼりが飛ぶ

稲盛の挨拶が終わると、執行役員の菊山英樹が血相を変えて、大田のところへ飛んできた。

「大田さん、あれはダメです」

「何がですか」

「稲盛さんも大田さんも、ＪＡＬの組合を知らないから。この会社でトップが従業員の幸福なんて言ってしまったら、とんでもないことになる」

「しかし社員あっての会社でしょう」

「あなたは分かっていない」

菊山は、そもそも会社更生法の適用に反対だった。そんなことをすれば利用者の信用を失い、誰もＪＡＬに乗らなくなる。だが菊山の抵抗も空しく、会社は更生法を申請し、稲盛たちが乗り込んできた。

「どうせ更生なんてうまくいかない」

捨て鉢な心境になっていた菊山は、最初のコンパで稲盛に食って掛かった。

「会長、あれは禁句です」

「何がや」

「従業員の幸福ってやつです」

「なんでや」

稲盛は怪訝な顔をした。だが、菊山が言うことにも一理はあった。

小説家の山崎豊子が『沈まぬ太陽』でモチーフにしたように、ＪＡＬの歴史は労使対立の歴史である。

ＪＡＬには「機長組合」「ジャパン乗員組合」「先任航空機関士組合」「日航組合」「キャビンクルーユニオン」「乗員組合」「ジャパン労働組合」という権利意識の高い7つの先鋭的な組合と、経営寄りの「ＪＡＬＦＩＯ（ＪＡＬ労働組合）」という、8つの組合がある。

ストライキ権を盾に会社と対立する労組と会社寄りの労組が入り乱れ、経営どころではなくなった時期もある。

倒産の原因となったJALの高コスト体質を改めるためには、社員の待遇を含め、あらゆる場面で大鉈を振るわなくてはならない。「JAL再生の最大の障壁は組合問題」と見る向きもあった。

そのJALで、稲盛は「従業員の幸福が第一の目標」と言い切った。菊山ならずとも、労使関係で苦労してきたJAL役員たちは一様に肝を冷やしたはずである。

酒の勢いを借りて、JALの労使関係の難しさをまくし立てる菊山に、稲盛はこう言った。

「しかしな、菊山君、経営陣と社員が情報を共有するのは大事なことや。それがなくては全員参加の経営はできん」

「会長、情報開示なんてとんでもありません。そんなことをしたら組合が付け上がります」

稲盛の怒りが爆発した。

「おまえは何をゆうておるんだ。社員を信じられなくて、何の経営か」

稲盛は目の前にあったおしぼりをつかんで菊山に投げつけた。

怪文書が乱れ飛ぶ「労使」「労々」の対立

「労使協調」を唱える稲盛の挨拶を聞いて、1970年代に入社したベテラン社員は、1人の人物を思い出した。

伊藤淳二。

1968年に45歳で鐘淵紡績（後のカネボウ）社長になり、「労使協調」と「ペンタゴン経営」と称する多角化経営で名をはせた経営者だ。1985年にJAL民営化を決めた総理の中曽根康弘は、JALを改革できる経営者を探していた。しかし経団連などの財界人にいくら頼んでも、御巣鷹山事故を起こしたばかりのJALのトップを引き受ける人物は見つからない。

困り果てた中曽根を救ったのが、第二次臨時行政調査会（土光臨調）の委員を務めた伊藤忠商事会長の瀬島龍三だった。瀬島は労務政策を得意とする伊藤に目をつけ、三顧の礼でJAL副会長に迎えた。その翌年、伊藤は会長になった。

『沈まぬ太陽』の第三部「会長室篇」はこの時代がモデルになったとされる。労働組合委員長として経営と対立し、アジア、中東、アフリカをたらい回しにされた主人公が日本に戻り、外部から招聘された会長の側近として社内改革に乗り出す。この会長のモデルが伊藤である。

伊藤はJALで労使協調と多角化経営を推し進めた。しかし労使関係のみならず、先鋭的な組合と会社寄りの組合による「労々対立」も深刻になり、伊藤は求心力を失って社内では怪文書が乱れ飛んだ。官僚出身の社長、山地進との確執も深まり、伊藤は結局、2年と持たず1987年に会長を辞任する。後にはこじれた労使関係だけが残った。

伊藤はカネボウで、当時の社長だった武藤絲治《いとじ》の秘書をしていた。武藤絲治はカネボウの中興の祖と言われる武藤山治の息子である。

武藤山治は大正時代、三井銀行（現三井住友銀行）から鐘淵紡績に送り込まれ、国内の紡績会社を次々と吸収して「日本の紡績王」になった。

武藤は劣悪な労働環境に置かれていた工場従業員の待遇を改善した。日本で初めて企業年金を導入したのも武藤である。その思想は「経営家族主義」「温情主義」と呼ばれ、労使協調を基軸とする日本的経営のベースになった。

息子の絲治も労使協調の路線を受け継いだが、当時の紡績業界は「午後3時の産業」と呼ばれる斜陽産業だった。絲治は化粧品、薬品、食品、住宅の4分野に進出し、繊維と合わせて5つの事業を展開する「ペンタゴン（五角形）経営」を打ち出した。

だが華やかな多角化経営の裏でお家騒動が絶えず、絲治は自分を追い落とそうとする勢力を牽制するために労働組合を使った。このとき絲治の右腕として労働組合対策を任されていたのが伊藤である。

労組を味方につけた伊藤は、絲治を飛び越え、45歳の若さでカネボウの社長になった。伊藤の労使協調路線はますます鮮明になったが、山治の時代に会社への帰属意識をはぐくむ仕組みだった労使協調は、いつしか組合の「既得権」と化していった。

伊藤が去った後、カネボウは経営危機に陥った。労使協調の伝統は依然として強く、経営陣がリーダーシップを発揮できないまま、ずるずるとリストラが遅れた。２００４年には粉飾決算も表面化した。

結局、カネボウは産業再生機構の支援を受けて私的整理をすることになり、カネボウ化粧品（花王の子会社）、クラシエホールディングス（ホーユーの子会社）などに「解体」された。

伊藤はＪＡＬでも得意の労使協調を展開した。だがその姿勢は労使、労々の対立に油を注ぐことにしかならなかった。

いい加減な経営をしたら殺してもいい

「あのときの再来か」

「労使協調」を唱える稲盛のスピーチを聞いたＪＡＬのベテラン社員たちは伊藤に振り回された過去を思い出し、暗い気持ちになった。

だが、稲盛はこうしたＪＡＬの複雑な労使関係を知らずに「従業員の幸福」を唱えたわけではない。むしろ不幸な労使対立の歴史を知っているからこそ、あえて労使協調を打ち出したともいえる。

「全従業員の物心両面の幸福の追求」は、稲盛が京セラの創業期に定めた経営理念である。その意味を知るためには、時代を半世紀以上、さかのぼらなくてはならない。

1961年、京セラを立ち上げて3年目の稲盛に、高卒社員11人が定期昇給など将来の保証を求め、「認められなければ会社を辞める」と詰め寄った。

「職があるだけでありがたい」という戦後が終わり、働く者の権利に目覚めた労働者が声高に待遇改善を主張し始めた時代だ。各地で労働争議の嵐が吹き荒れ、その風が生まれたばかりの京セラにも吹き込んだ。

思い詰めた様子の高卒社員たちに、口先で昇給を約束するのは簡単だった。だが、会社の業績はまだ不安定だ。定期昇給が実現しなければウソをついたことになる。30歳の稲盛は悩みに悩んだ。出した結論は「ウソをつかない」ことだった。

定期昇給は約束できないが、社員の給料が上がるよう、会社の成長に死力を尽くす。稲盛はそう説明した。

「私を信じてくれないか。もし私がいい加減な経営をし、私利私欲のために働くようなことがあったら私を殺してもいい」

最後まで抵抗した若者を稲盛はこう説得した。

このとき、稲盛は従業員の生活を預かる経営の重みを知った。

「とんでもないことを始めてしまった」

稲盛は技術者として自分の夢を実現するために会社を作った。自分自身の明日がどうなるかは分からなかったが、それはそれでかまわない。

しかし自分についてきた従業員は、何年も先までの待遇改善を期待し、家族まで含めた将来にわたる保証を会社に求めている。

起業して企業を経営するということは「現在はもちろん、将来にわたっても従業員やその家族の生活を守っていくということである」と気づいた。

自分のためではなく、社員のために経営しなくてはならない。そこから生まれたのが「全従業員の物心両面の幸福を追求する」という理念である。

「漏れたってかまわんやないか」

しかし複雑な労使関係の歴史を持つＪＡＬでは、経営陣は組合に対して疑心暗鬼になっており、組合も経営陣を信じていない。本物の労使協調など、本当に可能だろうか。

そんな気持ちを抱えていた社長の植木に、稲盛はこんな話をした。

「経営が『社員の幸福』を目指せば、労使の終着駅は同じになるではないか。目指すものが同じなら、話し合えるはずだ。徹底的に組合と話し合えばいい」

長く労使対立を続けてきたＪＡＬの経営陣には「社員＝組合」と見る癖がついていた。経営に関わる数字を社員に教えれば、組合に情報が流れ、争議の材料にされる。

「寄らしむべし、知らしむべからず」が、ＪＡＬ経営陣の習い性になっていた。

稲盛のアメーバ経営はその対極にある。

数千、数万人の会社を何百もの小集団（アメーバ）に分け、それぞれの小集団が「今日は儲かったのか、損をしたのか」を一目で分かるようにするのがアメーバ経営の要諦である。正しい情報を伝えることで、現場は上からの指示を待たず、自分で考えて正しい行動を起こすようになる。「知らしむ」ことが稲盛経営の第一歩なのだ。

稲盛は植木に言った。

「少しくらい、漏れたってかまわんやないか。隠して得られるもんがなんぼある。それでどれだけのものを失っている。社員の信頼を失って何の再建か」

その言葉を稲盛は実践した。

稲盛はＪＡＬ労組の中でも強行派で知られる「機長組合」や「乗員組合」の組合員である

パイロットを集め、そこで経営の実態を正直に話した。周囲は先鋭的な組合員につるし上げられることを心配したが、稲盛は団交のような形式張ったスタイルはあえてとらず、ふらりと無防備にパイロットたちの輪の中に入っていった。

リストラの一環で機長への昇格が遅れる副機長たちから不満の声が上がったが、稲盛は懐柔策を示すわけでも、解雇をちらつかせて脅すわけでもなく、ありのままの会社の窮状を淡々と話した。

「運航乗務員の組合が強いという話は聞いていました。しかし会社が一度、倒産し、法的整理を受けて、そこから立ち上がらなければならんわけです。彼らとて、生き残りたい、という気持ちは同じはず。だから予見を捨て、策を弄さず、真実を話したのです」と稲盛は言う。

本気で怒られて、本音を知った

JALは更生計画に従ってパイロットの人件費を約4割カットした。かつてのJALなら「ストの一発も覚悟する」(JAL役員)局面である。しかし労組が暴れることはなかった。

「後で役員の誰かに聞いたのですが、1人のパイロットを育てるには、1億円近くのお金がかかるそうです。それだけのことを会社にしてもらった彼らは、本来、会社に感謝すべきであり、自分の権利ばかりを主張するのは人間としておかしい。そういう私の思いが、彼らに伝わったのだと思います」

それまで会社に、腫れ物のように扱われてきたパイロットの1人は、稲盛と話した後にこう語っている。

「本気で怒られて、初めて経営者の本音を知った気がした」

ありのままの情報を共有することで、社員は経営者のマインドを持つようになる。そうなれば、組織は上からの指示ではなく、現場の意思で動くようになる。それが稲盛の言う「燃える集団」である。

コンパの席で「あれは禁句です」と言って、稲盛におしぼりを投げつけられた常務執行役員の菊山は、京都の京セラ本社を訪れたとき、1階のエレベーターホールにある稲盛の胸像をスマートフォンで撮影し、その写真を待ち受け画面にしている。いまでは稲盛哲学の信奉者だ。

稲盛の経営に「禁句」はない。

3
章

大嫌いからの出発

2010年1月、前原国土交通相(左)と首相官邸に入る
(写真提供：時事)

起業家でないとＪＡＬは変えられない

２００９年８月、「日本航空の経営改善のための有識者会議」の第１回会合が開かれた。座長は一橋大学学長の杉山武彦。国土交通省の事務次官などの官僚、当時のＪＡＬ社長の西松、主力銀行の担当者などが顔をそろえた。

２００６年６月にＪＡＬ社長に就任した西松は財務畑一筋という、これまでのＪＡＬ社長にはない経歴の持ち主だった。その年の２月、ＪＡＬではグループ会社の取締役４人が就任２年目の新町敏行社長に退任を要求する「４人組事件」が起きている。２００５年には計器やエンジンの不具合などによる運航トラブルが相次いだ。

混乱を収拾するため、どの派閥にも属さない西松に社長のお鉢が回ってきた格好だが、西松の社長起用にはもう１つの狙いがあった。資金繰りである。

かねて「隠れ破綻」がささやかれていたＪＡＬの経営は、リーマン・ショックによる収入ダウンで、いよいよ危機が顕在化していた。銀行団の追加融資や強引な公募増資で綱渡りの資金繰りを続けてきたが、限界は見えていた。

西松は社長就任直後、つまり株主総会の直後に公募増資を実施した。発行済み株式の35％に当たる7億株を発行し、市場から2000億円を調達するつもりだったが、おくびにも出さなかった増資を株主総会直後にいきなり実施する手法は市場関係者から批判を受け、調達額も1400億円に届かなかった。

「いよいよ危ない」と危機感を持った政府・自民党は、JAL再建のための有識者会議を立ち上げた。

有識者会議は赤字路線からの撤退、人員削減、年金給付の削減、金融支援など、当時としてはかなり踏み込んだ内容の再建策を提示した。しかしそれが実行に移される可能性は低かった。9月の総選挙では民主党の前評判が高く、政権交代がほぼ確実と見られていたからである。

9月の総選挙で民主党が圧勝して政権交代が実現すると、国土交通相になった前原誠司は就任会見で、有識者会議がまとめたJAL再建策を「白紙から見直す」と語った。計画は振り出しに戻った。

前原はかつて産業再生機構で再生委員長を務めた弁護士の高木新二郎や経営コンサルタントの冨山和彦らを起用して、「JAL再生タスクフォース」を立ち上げた。

高木と冨山は2003年から2007年の4年間、カネボウやダイエーの事業再生に携わった産業再生機構でコンビを組んだ仲である。やはり産業再生機構のメンバーだったPwCアドバイザリー（現プライスウォーターハウスクーパース）の取締役パートナー、田作朋雄もタスクフォースのメンバーに加わった。

彼らが得意とする手法は会社更生法などを使う法的整理ではなく、倒産する前に関係者の利害を調整し、不採算部門の売却などで事業を再生する私的整理である。高木らは私的整理手法の1つである「事業再生ADR」（裁判外紛争解決）を念頭にJALの再生計画作りを進めていった。

どんな再建手法をとるにしろ、人員削減や債務カットといった痛みを伴う改革に踏み込む以上、JAL再建には新しいリーダーが必要だった。

高木はJAL再建の先頭に立つ人物をこう見立てた。

「大企業のサラリーマン社長ではダメ。自分で起業した努力家でないと、収益感覚が狂ってしまったJALの社員を変えられない。どんなに立派な計画を作ってもJALの官僚体質が変わらなければ、再生は成功しない。困難にひるまない影響力の強い人が必要だった」

浮かんだ候補は稲盛と日本電産社長の永守重信。

大臣の前原に諮ると「じゃあ、稲盛さんにお願いしよう」と即決した。

前原と稲盛の付き合いは長い。1991年に京都府議に当選した頃から、前原は自分の選挙区にある京セラの本社によく顔を出していた。中学生のときに父親を亡くした前原は稲盛を父親のように慕い、いくら叱ってもニコニコしている前原を稲盛も息子のようにかわいがった。

前原国土交通相の粘り勝ち

だが、いくらかわいい前原からの頼みでも、JALの話は別だった。

稲盛はJALが大嫌いだったのだ。

「客室乗務員もカウンターもマニュアル仕事。丁寧だが心がこもっていない。高学歴の幹部は自負心が強いくせに、政治家や官僚にはペコペコする」

稲盛は以前から国内出張の飛行機をANAに変えていた。

「JALにいじめられながら、追いつこうとひたむきに努力している」

第二電電を興し、NTTに挑んだ自分とよく似た境遇にあるANAを応援してきた。

だから、会長就任を頼みに来た前原を稲盛は「自分は航空業界の素人。お門違いや」と追い返した。

しかし前原はあきらめない。忙しい公務の合間を縫って何度も稲盛のところに足を運び、頭を下げ続けた。

12月末、稲盛は、東京・八重洲にある京セラのオフィスを訪ねてきた前原にこう尋ねた。

「他には誰に頼んどる」

「誰にも声はかけてません」

「もし、わしが断ったら」

「更生法申請の時点で経営者が決まっていないと、国の信頼を失います。日本経済にもダメージがあるでしょう」

そう言い残して前原は帰った。

年末年始を京都の自宅で過ごした稲盛は自問自答を繰り返した。

「この年齢で再建の激務に耐えられるか」

しかし、稲盛の中で答えはすでに出ていた。

ＪＡＬがなくなれば残った3万2０００人の雇用が消える。日本の航空業界はＡＮＡの独占状態になり、健全な競争がなくなる。日本経済に悪影響が出る。

「ＪＡＬ再建には大義がある」

この間、ＪＡＬ再建の手法についても大きな方針転換があった。

事業再生ＡＤＲによる再建を目指すタスクフォースが、債務カットや出融資をめぐってＪＡＬ向けの最大の債権者である日本政策投資銀行やメガバンクを説得しきれず、出融資機能を持たないタスクフォースはＪＡＬ再建の表舞台から降板することになった。

タスクフォースの代わりにＪＡＬ再建を担うことになったのは、２００９年10月に発足したばかりの官民ファンド、企業再生支援機構だった。巨額の公的資金を使うことになるため、大臣の前原は「法的整理」という劇薬を使う腹を固めつつあった。

稲盛も高木らタスクフォースのメンバーからＪＡＬ会長への就任を打診されたとき、私的整理でＪＡＬを救うのは難しい、と考えていた。

裁判所の力を後ろ盾に債権債務関係の調整などで思い切った手が打てる「法的整理案」が浮上してきたことも、稲盛がＪＡＬ会長を引き受ける決断の１つの要因になった。

年が明け２０１０年の1月13日、稲盛は前原に「受諾」を伝えた。

だが、ここでも、もう一悶着があった。

「更生法の適用申請はいつだ」

「1月19日を考えています」

「その日はダメや。先約が入っとる。変えられんのか」

「関係者が多いので日程は変えられません」

19日には、稲盛が塾長を務める経営塾「盛和塾」のハワイでの開塾式の予定が入っていた。盛和塾の会員は国内外に8000人いる。ほとんどが中小企業の経営者だ。彼らの経営相談に乗る盛和塾での活動は、稲盛にとって最優先だった。

「分かりました。お引き受けいただけるのなら、当日は欠席ということでかまいません」

前原の粘り勝ちだった。

小沢一郎と稲盛和夫

だが、稲盛に火中の栗を拾う決断をさせたのは、前原1人の功績ではない。

稲盛は1991年、宮澤喜一内閣の第3次行政改革推進審議会（行革審）で「世界の中の日本部会」部会長に就任した。官邸に足を踏み入れた稲盛は、何人かの政治家と顔見知りになる。その中の1人が当時、自民党幹事長の小沢一郎である。1993年、小沢が上梓した『日本改造計画』を読んだ稲盛は、小沢のことを「骨のある政治家だ」と思った。

その前後、稲盛の母キミが亡くなった。鹿児島県の西本願寺で執り行われた葬儀で、稲盛は弔問客の中に見知った顔を見つけた。小沢である。小沢は他の弔問客に混じって焼香を済ませると、そのまま寺を後にした。数年後、稲盛の父畩市《けさいち》が亡くなったときも、小沢は鹿児島に飛んできた。

小沢の人柄に惹かれた稲盛は、小沢が京都に来たときには京都、稲盛が東京へ行ったときには東京で食事を共にするようになった。

稲盛は政権交代にかける小沢の意気込みに共鳴し、２００３年の衆院選前には「政権交代が可能な国を作ろう」という意見広告を全国紙に出している。

２００８年の新聞インタビューではこう語っている。

「結局は政権交代しかない。いまの民主党が良い悪いではない。官僚組織べったりの政治家集団だけで政治をやるのは、もういい加減にしてくれということだ。民主党が天下をとってもいい加減な政治をすれば、次に修正された自民党が政権をとる。何回か繰り返す間にすばらしい人類の英知が生まれ、新しい国に変えてくれると思う」

当然、２００９年の総選挙では稲盛は民主党を支持した。党の大会で演壇に立ち、若い候補者たちに呼びかけた。

「しっかりせんか。どうせ政治をやるなら政権をとらねば意味がない。いまから選挙区に帰って、有権者に頭を下げてこい」

それだけに、民主党が政権を奪取したときの稲盛の喜びは大きかった。これで日本が変わる、と思ったかもしれない。その民主党が最初に抱えた難題がＪＡＬ再建であり、自分に助けを求めてきた。だから稲盛は生還率7％の勝ち目の薄い闘いに挑む気になったのだ。「日本を変える」という夢を託した民主党に頼まれたから、稲盛は「大嫌い」だったJALを立て直した。だがその間に、当の民主党はJAL以外のところで失策を重ね、自壊していった。

「人心が一体になっていなかった。仲間割れをして自滅してしまった。小沢さんがもう少し人間的に信頼されていればと思うが、いまとなっては」

もう2年近く、稲盛は小沢と会っていない。

「政治の話はもうおしまい。すっかり手を引きました」

そう言う稲盛は少し寂しそうだった。

スゴ腕の「倒産弁護士」

JAL再生には稲盛と並ぶ、もう1人の立役者がいる。

瀬戸英雄。

がっしりした体格に浅黒い顔。メガネの奥の細い目は柔和だが、ときに凄みを帯びる。ヤオハンジャパン、マイカル（現イオン・リテール）などの更生管財人、商工ローンのSFC

G、不動産のヒューザーなどの破産管財人を務めたスゴ腕の「倒産弁護士」である。会社更生法など法的整理の運用適正化に力を注いできた第一人者でもある。

その腕を買われ、２００９年10月16日に設立された官民ファンド、企業再生支援機構の社外取締役、企業再生支援委員長に就任した。その数日後、政府からＪＡＬ再生支援の打診が来たという。

「法的整理にせよ私的整理にせよ、ＪＡＬは金融機関から、かなりの債務減免を受けることになるから、銀行からのさらなる資金調達は難しい。こちらに話が来るかもしれないな、という予感はあった」

その段階から、瀬戸は法的整理の活用を考えていた。

「政界、官界や労働組合とのしがらみ。ＪＡＬの経営を難しくしていた既得権益を断ち切るには司法の力を使うしかない」からだ。

政府からＪＡＬ再生の支援を引き受けるときにも「法的整理の活用を排除しない」ことと「政治的な介入を認めない」ことを関係者に確認している。

会社更生法の適用が認められ、銀行が債権を放棄すれば、ＪＡＬのバランスシートは一時的にきれいになる。政治的なしがらみを断てば無理に赤字路線を飛ばす必要もなくなる。

だが、それだけではＪＡＬは甦らない。ＪＡＬの経営陣や社員の意識を改革し、赤字の原因となってきた「親方日の丸」の体質を根本から変えない限り、同じことが繰り返され、再び赤字が積み上がるだけだ。悪循環を止めるためには、強力なリーダーが必要だ、と瀬戸は考えた。

「あの人しかいない」

瀬戸の頭に10年前の光景が浮かんだ。

「先頭に立つのは稲盛さんしかいない」

「これからの弁護士は当代一流の経営者の話を聞いておいた方がいい」

弁護士の大先輩である岡村勲の勧めで、当時、中堅どころの弁護士だった瀬戸たちは経営者を講師に招く勉強会を立ち上げた。初回の講師はソニー会長の大賀典雄。2回目が稲盛だった。

その頃の稲盛は第二電電の経営がまだ軌道に乗らず、巨人NTTを相手に苦戦を強いられていた。週刊誌などが「セラミックで成功したベンチャー経営者が功名心で、右も左も分からない通信事業にしゃしゃり出て、失敗した」と批判していた時期でもある。

しかし稲盛はそんな世評を意に介さず、瀬戸たちに「利他の心」を説いた。

「動機善なりや、私心なかりしか。私は毎日、自分に問いかけています」

その言葉に、瀬戸は強い感銘を受けた。

JAL再生は既得権益との闘いになる。既得権益を排除しようとすれば摩擦は避けられない。政治的、社会的なさまざまな圧力を遮断し、JALの役員・社員に前を向かせられるのは誰か。

稲盛しかいない、と瀬戸は思った。

企業再生支援機構がJAL再建に関わる前、前原誠司の肝煎りでスタートした「JAL再生タスクフォース」のリーダーだった高木新二郎も、「ここは稲盛さんしかいない」と考えた。

高木は瀬戸と同じく事業再生を主なフィールドとする「倒産弁護士」の草分けだが、得意とするのは当該企業、債権者、取引先などが話し合いで再生計画を作る「私的整理」である。「法的整理」のプロである瀬戸とはライバル関係にあった。

瀬戸は高木が従前、稲盛に会長就任を打診していたことを知らなかった。事業再生について全く異なるアプローチをとる2人の倒産弁護士が、JAL再生という大仕事に取りかかるとき、「先頭に立つのは稲盛しかいない」と同じ結論に至ったのは面白い。

瀬戸は2009年12月初旬、稲盛と親しい前原誠司の紹介で、東京・八重洲の京セラ東京支社を訪れ、稲盛に会った。

高木が打診したとき稲盛は「自分はその任にあらず」と言って断った。しかしこの日、瀬戸が「ＪＡＬを再生するためには法的整理しかない」と持論を展開すると、稲盛は明らかに興味を示した。

「私もそれしかないと思う。もう少し詳しく説明してもらえないか」

「脈あり」と見た瀬戸は後日、企業再生支援機構のマネージングダイレクターを稲盛のもとに送り、詳しい再生プランを説明させた。そのときも稲盛は真剣に話を聞いたという。

その後、瀬戸は稲盛が更生管財人を引き受けてくれる前提で、資金繰りに奔走した。会社更生法の適用申請の期日は年明けの1月19日に決めた。混乱が生じて欠航が出る可能性がゼロではなかったため、大学受験の統一テストと重ならない日程を選んだ。

ところが、年も押し迫ったある日、稲盛側から断りの連絡が入った。

「稲盛さん自身は、引き受ける気持ちがあったと思うが、周囲からは『晩節を汚す恐れがある』という声が上がっていたらしい。いろいろお考えになった上でのことだったと思う」と瀬戸は振り返る。

すでに事態は会社更生法適用の申請に向けて動き出している。1月19日の申請は、いまさら止められない。

「ひょっとすると、経営トップは未定のままで更生法の適用申請を発表することになるかもしれない」

誰が先頭に立つのか決まらないまま会社更生法の適用を申請したのでは、JAL再生に最初からクエスチョンマークがついてしまう。それでも瀬戸はあくまで稲盛に頼むつもりだった。

稲盛が披瀝した西行の歌

会社更生法の適用申請まで残り1週間を切った1月13日、企業再生支援機構の首脳陣は、東京・赤坂のホテルニューオータニで稲盛と会った。

この日、稲盛が会長就任を打診されていることが報道され、東京・八重洲の京セラ東京支社には報道陣が殺到した。稲盛の一行は包囲網を強行突破してニューオータニに向かった。

ニューオータニで待つ瀬戸は「今日がダメでも、京都に通い、ぎりぎりまで頼み続ける」と腹を決めていた。京セラの一行が到着すると、機構の面々は固唾を呑んで稲盛の回答を待った。

「お引き受けしますが、いくつか条件があります」

稲盛がそう切り出すと、張り詰めていた部屋の空気が一気に緩んだ。稲盛が続ける。

「管財人ではなく、会長の立場で経営指導に当たらせていただきたい。JALで働くのは週に2日か3日。報酬は受け取りません」

機構側が望む形とは少し違ったが、些細なことにこだわる局面ではなかった。出された条件を機構側が飲むと、稲盛は帰り際、友人から贈られたという歌を記した紙をメモ帳から取り出し、読み上げた。


「年たけて　またこゆべしと思ひきや　命なりけり　小夜の中山」


新古今和歌集に収められた西行の歌だった。

こんなに年老いて、もう一度、この小夜の中山を越えることがあるとは思わなかった。まことに命があるおかげだ。

「(金の産地で知られる奥州・平泉の)藤原秀衡のところへ行って、砂金の提供を頼んでほしい」。源平の乱で焼失した東大寺大仏殿の復興に執念を燃やす高僧・重源にこう頼まれたときに、西行が詠んだ歌だ。当時68歳の西行は伊勢(三重県)に住んでいた。この年齢で伊勢―平泉(岩手県)を往復するのだから、命がけの道行きになる。それでも西行は大仏殿復興という大義のため、老体に鞭打って小夜の中山を越えた。

自分もまさか80歳を目前にして、こんな大きな仕事が降ってくるとは思わなかったが、ＪＡＬ再生という大義のために一命を賭す。西行の歌に託し、稲盛はそんな覚悟を披瀝した。

エネルギーの注入は、漢方医にしかできない

瀬戸はなぜ、ここまで稲盛にこだわったのか。

事業再生の実務家集団である企業再生支援機構は「外科医」である。病んだ企業の病巣を探り、手術で摘出する。その間、患者の生命を維持するための輸血（資本注入）もする。

だが、外科手術が成功しても、患者が術後に不摂生を続けたのでは、病気は再発する。再発を防止するには患者が食事などの生活習慣を正し、定期的な健康診断を欠かさないことが必要だ。そのためにはまず、本人の意識を変えなくてはならない。

「いざとなったら国が助けてくれる」という親方日の丸の意識が染み付いたＪＡＬを変えるには、稲盛のような強力なリーダーが必要だ。瀬戸はそう考えた。

機構による外科手術は、どんなものだったか。瀬戸は機構の再生支援委員長を退任した後に記した論文（「日本航空の再建―企業再生支援機構による再生支援と会社更生手続き」）の

中で、こう書いている。

日本航空が活力をもった会社として復活するためには、この会社の歴史の底に沈殿した既得権益やレガシーコストを徹底的に洗い出し、市場メカニズムが機能しうるようにすることが不可欠であった。（中略）

これらの典型的なものとして、年金、人事賃金制度、組合問題、不採算な地方路線の見直し、天下り、役員経験者の処遇などがメディアでは指摘されていたが、そのほかにも、不明朗や取引先の整理、非営利法人や各種団体への寄付金・分担金・会費等の廃止、関係会社の整理統合などがある。

既得権益を一掃する大手術にはリスクが伴う。同じ航空業界でも過去に法的整理を選んだサベナ・ベルギー航空やスイス航空は、航空機リース債権者からの差し押さえを止めることができず、二次破綻・解体に追い込まれた。

機構はこうした過去の失敗例を徹底的に検証し、30人を超えるスタッフをＪＡＬに常駐させて厄介な問題を1つ1つ片付けていった。

瀬戸が何より恐れたのは、大手術の後にＪＡＬの体力が戻らない事態だった。リストラ疲れで社員が下を向き、組織の屋台骨である中堅社員がどんどん会社を辞めていく。手術は成功しても会社は救えず、二次破綻。これまで瀬戸はそんなケースをいくつも見てきた。だからこそ、ＪＡＬ再生では社員に前を向かせ、生きるエネルギーを植えつけるリーダーが必要だった。それができるのは自分たち「外科医」ではなく、「内科医」「セラピスト」「漢方医」の稲盛だった。

闘う経営者と投資家が組めば再生可能

瀬戸は自分たちの外科的手法と稲盛の漢方療法を「ベストミックス」と考えたが、ＪＡＬ再生に関わった機構のメンバー全員がそう考えたわけではなかった。

例えば42歳の若さでＪＡＬ取締役副社長に就任した水留浩一。

水留は東京大学理学部を卒業した後、米ノースウェスタン大学で経営学修士（ＭＢＡ）を取得し、電通、アクセンチュアを経て経営コンサルティングのローランド・ベルガーに入る。ローランド・ベルガーでは30代前半でパートナーになり、企業・事業再生のアジア代表に抜擢された。水留は消費財、サービス、流通業でのＣＲＭ（顧客管理）戦略策定などを得意とし、その実績を買われて企業再生支援機構の常務取締役になった。

もう1人は弁護士から投資ファンド、リップルウッド・ジャパンのマネージングディレクターに転じ、機構の専務になった中村彰利。中村は稲盛の補佐役としてＪＡＬ取締役に送り込まれた。水留と中村の2人は、さしずめＪＡＬの大手術で最先端の医療技術を駆使する「エリート外科医」という趣だった。

最初の半年、機構が進めるＪＡＬ改革をじっと見守っていた稲盛は、更生計画がまとまった2010年8月頃から、経営への関与を強めていく。京セラから乗り込んだ大田嘉仁、森田直行らによる「フィロソフィ」と「アメーバ経営」の移植が始まった。

それは水留や中村が学んできた先端の西洋医学とは異なる、東洋医学の思想だった。稲盛色が強まるにつれて経営方針の違いが浮き彫りになり、株式の再上場を控えた2012年1月、水留と中村はＪＡＬ取締役を退任した。

「フィロソフィとアメーバ経営だけでＪＡＬが再生したかと言われれば、それは違う、と思う。ＪＡＬの債権者である金融機関、取引先、労働組合との厳しい交渉を経てバランスシートを調整したのは我々（企業再生支援機構）だ」と瀬戸は言う。

機構が既得権益のしがらみを断ち、地ならしを終えたから、稲盛のフィロソフィとアメーバ経営が予想を上回るスピードでＪＡＬに根付いた。

「更生計画を作った我々自身、ＪＡＬがこんな高収益企業になるとは思わなかった。会社更生法、公的資金、そして稲盛哲学。すべてがうまく機能したことで、ＪＡＬは甦った」。瀬戸はこう総括する。

「倒産弁護士」の瀬戸から見ても、ＪＡＬ再生は今後の事業再生のモデルとなりうる事案だった。なぜそれを一部のメディアや政治家は「公的資金を使った過剰支援」と矮小化するのか。民間の投資家・金融機関と稲盛のような「闘う経営者」がタッグを組めば、再生可能な企業はあまたある。だが日本では投資家も金融機関も経営者も、リスクから逃げ惑うばかりだ。

瀬戸は「日本航空の再建」の中でこう指摘している。

「我が国の民間投資家や金融機関は、（ＪＡＬのような）大きなリターンを生む可能性を秘めた企業の再生支援をなぜ回避しようとするだけなのか」

瀬戸の思いは稲盛と同じである。

期待はずれだったダボス会議

２０１３年の１月下旬、稲盛はスイスにいた。世界経済フォーラムの年次総会（ダボス会議）で講演するためだ。

日本で100万部を売り、英語、中国語などにも翻訳されている著書『生き方』を読んで感銘を受けたダボス会議の主催者、クラウス・シュワブに「パブリックセッションでぜひ話してほしい」と頼まれた。

「まあ、期待はずれでしたな」

帰国後、ダボスでの講演の手応えを聞くと稲盛は苦笑した。

世界経済を牛耳る政財界のトップが集うダボスで稲盛は「欧米資本主義を痛烈に批判してきた」のだという。

京セラ、KDDIという総額5兆円規模のビジネスを興し、絶体絶命のJALを立て直した経営者から、そのテクニックを聞こうと集まった人々は、さぞや面食らったことだろう。

当人は涼しい顔だ。

「あそこは、お金持ちで目立ちたがりの人たちばかり。あんまし意味のある集まりではありませんな」

ならばなぜ、そんなところへわざわざ出かけていったのか。

それは「いまの世界経済が商業主義に堕し、人類が危機に陥っている」と本気で心配しているからだ。

JAL再生を引き受けた理由も、これとよく似ている。東日本大震災後の原発事故で東京電力のどうしようもない内実が晒されるまで、ＪＡＬは間違いなく「日本で一番ダメな会社」だった。

だからこそ「立て直す価値がある」と考えた。

「あれほど腐った会社が甦れば『あのＪＡＬにできたのだから、俺たちにもできる』と日本中の企業が奮い立ってくれると思いました。私が培ってきたフィロソフィと部門別採算のアメーバ経営をやれば、きっとＪＡＬも元気になる。それを証明して、日本を変えるつもりでした」

しかし、日本は変わらなかった。

鮮やかなＪＡＬ再生を見た人々は「俺たちも頑張ろう」と奮い立つどころか、「ＪＡＬはずるい」と言い始めたのである。

ANAが求めたフェアネス

「ＪＡＬ『ルールなき再建』は許されない」

ＡＮＡ社長だった伊東信一郎は『文藝春秋』の２０１０年６月号にこんなタイトルの手記を寄せている。

「私どもANAは航空業界における自由競争、フェアネスを求めています」。こんな書き出しで始まる伊東の手記は「公的資金1兆円の投入を受けたJALが、それを原資に運賃の値下げをしてきたら、フェアな競争にならない」と主張している。

フェアネスを担保するのは航空行政の重要な役割だ。多くの国が国境を接している欧州では、国の支援を受けた航空会社に対して、発着便数や料金設定を制限するルールがある。

例えばフランスで、政府から資本注入されたエールフランスが、その資金を武器に欧州域内で運賃の値下げ競争を仕掛けたら、隣国のルフトハンザ（ドイツ）はたまらない。これに対抗してドイツ政府がルフトハンザに資本注入したら、これはもはや自由競争ではなく、国有企業同士の競争、つまりは社会主義になってしまう。

そうならないように、日本市場でのフェアネスに国土交通省が目を光らせるのは当然のことだろう。

だからといって「JALの再建はアンフェア」と決めつけ、会社更生法の適用申請からこれまで、稲盛を先頭にJALが取り組んできた改革を「無意味」と切り捨てるのはおかしい。

稲盛は言う。

「公的資金を注入していただいた資本金は、再上場のときに3000億円上乗せしてお返しした。（破綻したときに）運航を続けるためにお借りしたお金も、7％の金利をつけてお返しした。なのに『ＪＡＬは税金を使って再生したから、ずるい』と言われる」

「ＪＡＬの社員は人員削減で多くの仲間を失い、給料や年金を減らされました。更生などできないと、あきらめていた人たちも多かった。しかし努力をすれば変われる。再生できる。そう言い聞かせて、みんなでここまで来ました」

「あきらめずに頑張れば報われる、という良い例を示したつもりです。しかし『何か裏があるのでは』と疑われました。ＪＡＬの社員は私の言うことを聞いて、大いに奮闘してくれた。だが世の中は正当に評価してくれない。私にはそれが残念で仕方ない」

経営は「当たり前」に従えばいい

世間が言うような「不公平」や「まやかし」でないとしたら、「絶体絶命」と思われたＪＡＬはなぜ甦ったのだろう。

最初に種明かしをしてしまえば、稲盛は当たり前のことを当たり前にやったに過ぎない。きちんと利益が出ている会社なら中小企業でもやっているようなことである。それを稲盛はすさまじい精度と深度、驚くべきスピードでやってのけた。

「当たり前のこと」について、稲盛は自著『生き方』の中で語っている。

「ウソをつくな、正直であれ、欲張るな、人に迷惑をかけるな、人には親切にせよ。子どもの頃親や先生に教わった人間として守るべき当然のルール。そうした『当たり前』の規範に従って経営も行っていけばいい」

ＪＡＬでも稲盛はそれを繰り返した。

「簡単に聞こえるかもしれないが、私は皆さんにとても厳しいことをお願いしている」

稲盛は「ウソをつくな」と言った後に、必ずそう付け加えた。

今月計上すべき費用を来月にずらして、問題を先送りする。本当は競合他社に顧客を奪われているのに、「景気のせい」だと報告する。ビジネスマンなら誰もが一度や二度はやった覚えがあるのではないだろうか。

そうしたウソを自らに禁じるのは、とても難しい。

「ウソをついてはいけない」と頭で理解するのは簡単だが、ウソをつかずに仕事をするというのは、簡単にできることではない。

稲盛は再生の第一歩としてＪＡＬの社員にそれを求めた。その心構えができていなければ、どんなに優れた仕組みを入れても機能しないことを、稲盛は50余年の経営経験から知っていた。

「ウソをつくな」「人をだますな」

稲盛が唱えてきた経営哲学を今風の横文字に直せば「コンプライアンス」や「ガバナンス」になる。そんな当たり前のことが実践できないから、社内に不正がはびこり、業績が傾く。

組織や制度を改正し、法律や規制の強化で防ぐ手もある。高いお金を払ってコンサルティングを頼んだり、第三者機関の目を入れてお墨付きをもらったりする方法もあるだろう。エネルギー商社のエンロンによる粉飾決算事件（２００１年）をきっかけに、米国では内部統制が強化された。「人はウソをつく」という前提で、それを早期に摘出する外科治療の考え方だ。日本もそれに倣い、コンプライアンスやガバナンスの強化が大流行した。

経営の透明性を高める努力はもちろん大切だ。しかし稲盛は、そんなことより「経営者や社員の心を育てる」内科治療の方が大切だと言う。

ＪＡＬでも稲盛は役員・社員の心を育てることに、膨大な時間を費やした。

組織や制度を作ったり、第三者機関を使ったりする外科治療の施術は目に見えるが、心を育てる内科治療は見えにくい。見えにくいから「不公平だ」「まやかしだ」という誤解が生まれた。しかし、ＪＡＬという重篤な病人に対して稲盛の内科治療が有効だった事実は、ＪＡＬの業績回復が証明している。

洋の東西を問わず、優れた業績を残した人の「ベストプラクティス」から学ぶのは、当たり前のことだ。日本以外の多くの国では、起業家が成功すれば「あの人はなぜうまくいったのか」と学ぼうとする。これに対して日本人は「ずるい」「怪しい」と嫉妬や疑いの目を向けがちだ。

　シリコンバレーでは出る杭を「叩く」のではなく「ほめる」カルチャーが、グーグルやフェイスブックといったベンチャー企業を育てている。一方、日本のベンチャー企業はある程度、成功すると袋叩きにあってつぶされる。学ぶ姿勢と称賛する文化の欠如が、日本経済の新陳代謝を遅らせているのだ。

中国では孔子、孟子よりも稲盛さん

　他人の成功から学ぶ姿勢において、日本よりはるかに貪欲なのが中国である。

　稲盛の『生き方』の中国語版は発売から4年で130万部が売れた。日本の100万部を超えている。稲盛が塾長を務め、中小企業の経営者などに経営を指南する「盛和塾」の拠点が無錫、青島、大連など7カ所にあり、塾生は1100人を超える。多くが中国企業のオーナー経営者だ。

「いや、まだ行儀の悪い人たちですよ。私が本にサインをしていると、平気な顔でその上に自分の本を載せてくる。利他の心など、とてもとても」

「中国は鄧小平国家主席以来、社会主義市場経済で突っ走ってきましたが、貧富の格差が広がり、成功しても気が休まる暇がない不安定な社会になっています。人間としてどう生きるべきか。中国の経営者たちは精神的なオアシスを求めている」

孔子や孟子という中国の思想を取り込んだ稲盛の話は、本家中国でも人気がある。ある中国人の塾生は「孔子や孟子は難しくて読めないが、稲盛さんの話は分かりやすい」と言う。経営という実践の中で磨いてきた稲盛の思想には国境を超える普遍性があるらしい。尖閣諸島問題をきっかけに反日暴動が起きたとき、中国の書店からは日本関連の書籍が一斉に撤去されたが、『生き方』だけは棚に残った。

2013年3月末でJALの取締役を退いた稲盛は、これから盛和塾と市民フォーラムでの活動に精力を注ぐつもりだ。無料の市民フォーラムでは「苦しんで生きる必要はない。こう考えれば幸せになれる」と人生哲学を説いている。

「不平不満を言う前に、まず自分が頑張ってみたらどうや」

JAL再生で稲盛が一番言いたかったのは、おそらくそういうことだろう。

だが残念ながらその思いは、日本に届かなかった。

JAL再生を成し遂げて取締役を退いた稲盛が、再びどこかの企業で経営の先頭に立つことはない。稲盛の「ラストレッスン」はＪＡＬ3万2000人を変えたが、日本全体を変えるには至らなかった。

だがこれからも盛和塾や市民フォーラムで辻説法に立ち、日本人に、「経営」や「生き方」を説いていくつもりだ。稲盛は「日本再生」をあきらめていない。

4章

独占は悪

「規制緩和に抵抗する役人を叩くには社会運動が必要です」。
1995年のインタビュー。（写真提供：日本経済新聞社）

ＡＮＡがＪＡＬに買収されかねない

「日本にナショナル・フラッグ・キャリア（国を代表する航空会社）は2社必要でしょうか」

2012年夏、ＡＮＡの渉外部隊が政官へのロビー活動を本格化した。

ＪＡＬの連結営業利益は2011年3月期に1884億円、2012年3月期は2049億円でＡＮＡの2・1倍に達した。稲盛自身が「会社更生法というのは実に強力だった」と認めるように、法的整理の効果は少なからずあった。金融機関に5000億円を超える債務を免除してもらい、企業再生支援機構からは3500億円の出資を受けた。税法上、欠損金で利益を相殺でき、9年間は税制優遇を受けられる。

「このままでは公的資金に救われたＪＡＬに我々が買収されかねない」

強い危機感がＡＮＡを突き動かした。ＡＮＡの働きかけを受けた自民党は国会で、会社更生法適用による税優遇の問題点などを取り上げた。

水面下ではＪＡＬの国際線部門をＡＮＡが吸収するプランも検討された。「ナショナル・フラッグ・キャリアを1社に」という働きかけはこのプランに沿うものだ。

やがてＪＡＬ経営陣もＡＮＡの動きを察知する。「万が一に備えておけ」。ＡＮＡからＪＡＬ買収に向けた具体的なアクションはなかったが、会長の大西は事務方に買収防衛策の検討を命じた。

だがこうした水面下の攻防が耳に入ると、稲盛は大西に言った。

「放っておけ」

「工作には工作」では昔のＪＡＬと変わらない。「いまは再生に集中するとき。じたばたするな」。事務方は準備をやめた。

泰然としていた稲盛だが、腹の底ではこう考えてもいた。

「いざとなったら表に出て、主張すべきは主張する」

反独占の血が騒ぐ

ＪＡＬとＡＮＡの2社による「健全な競争」は何としても守るつもりだった。

「独占は悪」という信念があるからだ。

１９８０年代前半、政府は日本の通信市場の門戸を開いた。電信電話公社（現ＮＴＴ）の民営化が決まり、ついに「独占」が解かれることになった。

だが通信で巨人の電電公社に立ち向かうなど、蟻が象に挑むに等しい。せっかく門戸が開かれたのに、誰も手を挙げようとしない。

京セラの社長として頻繁に海外出張をしていた当時の稲盛は、日本の電話料金の高さに憤っていた。米国の長距離電話料金は、日本の10分の1。独占の弊害を肌身で感じていた。

「誰もやらないなら、自分がやるか」

稲盛の中で「反独占」の血が騒いだ。

このとき稲盛が通信の専門家として誘ったのが、当時電電公社の中堅幹部だった千本倖生（現イー・アクセス名誉会長）である。

１９８３年のある日、稲盛は千本と大阪のリーガロイヤルホテルのカフェバーで密談をしていた。問題はどうやって通信市場に参入するかである。

千本は手帳に「東京」「大阪」と書き、その間を1本の線で結んで見せた。

「自分で回線を持ち、電電公社に勝負を挑むのです」

「いくらかかる」

「１０００億円もあれば」

「……」

稲盛は黙り込んだ。

1カ月後、稲盛から千本に電話が入った。

「やろう」

反骨の血が稲盛の背中を押した。

ソニー盛田、リクルート江副も目を輝かせた通信参入

1983年7月、稲盛は京セラ本社で臨時の役員会を開き、頭を下げた。

「京セラにはいま、1500億円の内部留保がある。そのうちの1000億円を使わせてほしい。通信事業に参入する。1000億円を投じてダメなら、あきらめる」

異論は出なかった。

1984年の正月、東京・赤坂のホテルで、稲盛が懇意にしている若手経営者の集まりがあった。稲盛はここで、ウシオ電機会長の牛尾治朗とセコム会長の飯田亮に通信参入の意思を打ち明けている。

「誰もやろうとしないから、私がやろうと思うんです」

飯田が驚いた顔で言った。

「え、そうなのか。ぼくらも、他に誰もやらないなら、俺たちでやるか、と話していたところだよ」

牛尾が尋ねた。

「で、稲盛さんの方はどこまで詰まっているの」

稲盛が計画を説明すると、2人は顔を見合わせてから、こう言った。

「そこまで詰まっているのなら、我々は小額出資で応援に回ろう。稲盛さん、経営はあなたが責任を持ってやる、ということでいいね」

稲盛が頭を下げると、隣の部屋で飲んでいたもう1人の男が入ってきた。

「みんなそろって何の話だい」

ソニー会長の盛田昭夫だった。

稲盛たちが通信参入構想を話すと、盛田は目を輝かせた。

「ぼくにも応援させてくれ」

こうして第二電電の骨格が固まった。

実はこの集まりにもう1人、稲盛たちの話を、目を輝かせて聞いていた新進気鋭の起業家がいた。

「若くて面白いやつがいる」

飯田が連れてきたリクルート創業者の江副浩正である。江副は通信事業に並々ならぬ関心を示していた。

だが、第二電電立ち上げの寸前で、集まりの中の1人がこう言い出した。

「江副君はまだ若い。この件には入れない方がいいだろう」

こうして第二電電へのリクルートの出資は見送られた。

江副は強いショックを受けたとされ、その後も通信事業に意欲を燃やした。自分で回線を持つ第一種の通信事業者としての道を閉ざされたリクルートは、電電公社から電話回線を仕入れて企業向けにリセールする第二種通信事業者として参入を果たす。

この過程で江副は電電公社総裁の真藤恒に急接近していった。教育関連の政府諮問委員のメンバーにも選ばれていた江副は、不動産子会社のリクルートコスモスの未公開株を真藤や文部省（現文部科学省）の官僚に譲渡。それが贈賄とみなされたリクルート事件で、有罪判決を受けた。

「0077」というハンディ

稲盛は電電公社に挑む仲間を着々と集めていった。

1983年11月、電電公社のエリート無線技術者だった小野寺正（現KDDI会長）は、同じ電電公社の千本に連れられ、京都・鹿ケ谷にある和輪庵を訪れた。銀閣寺と南禅寺を結ぶ哲学の道沿いにある、京セラの迎賓館だ。手入れの行き届いた日本庭園を望む和室の襖を開けると、通産官僚で元資源エネルギー庁長官の森山信吾と、稲盛が座っていた。

小野寺は森山のことは新聞などで知っていたが、稲盛の顔は知らなかった。京セラという会社も名前を聞いたことがある程度。電電公社の技術者と京セラには何の接点もなかったからだ。

しかし、話をしているうちに小野寺は稲盛の情熱に圧倒された。

「日本の電話料金は高すぎる」という義憤から始まり、稲盛の話はとどまるところを知らなかった。

「日本の通信市場は100年に一度の変革期や。この分野でゼロから事業を起こせるチャンスは二度とない」

稲盛にそう言われると、小野寺の技術者魂に火がついた。電電公社で培ってきたマイクロ波通信の技術で、思う存分勝負してみたい。稲盛の情熱が小野寺に燃え移ったのだ。

稲盛は常々、人間を3つのタイプに分けて考える。自分のように常に新しい目標を見つけて行動を起こす「自燃性」、隣に燃えている人間がいると燃え移る「可燃性」、何をやっても火がつかない「不燃性」の3つだ。小野寺は自燃性に近い可燃性だった。

こうして稲盛は1984年、第二電電を設立した。ついに電電公社の独占市場に切り込むことが決まった。

3年の準備期間を経て第二電電は1987年、NTTより割安な市外通話サービスを始めた。だが新参の第二電電には、電話番号の最初に「0077」をつけるハンディがあった。テレビコマーシャルで「0077」を連呼して、安さをアピールしたが、市外局番が必要でただでさえ長い長距離電話の番号の前に、もう4桁を余分に押すのは面倒だ。利用者を引き込むには、何らかの工夫が必要だった。

第二電電が考えたのは低料金の電話会社を自動的に選択するアダプターである。最初は孫正義（現ソフトバンク社長）がこの「自動アダプター」を開発して、持ち込んできた。しかし、独占契約を望んだ第二電電に対し、孫はアダプターを第二電電以外の新電電にも売ると譲らず、第二電電は自動アダプターを自主開発することにした。

アダプターはほどなく完成したが、問題はそれをいくらで売るかだ。高すぎれば普及しないが、安すぎればベンチャーの第二電電は体力を消耗してしまう。社内の議論は紛糾した。

議論を聞いていた稲盛は目を閉じてしばらく考え、ポツリと言った。

「タダにしよう」

「会社がつぶれる」

千本はそう思った。電電公社出身の千本にはない発想だった。

しかし、結果的にはこの「無料アダプター」をきっかけに第二電電は新規参入組の先頭に躍り出る。

やるからには絶対に勝つ

「動機善なりや、私心なかりしか」

通信事業に参入するとき、稲盛は何度も自分に問いかけた。自分の懐を潤すためではないか。目立ちたいというスタンドプレーではないか。稲盛は自分の中に私心がないことを確かめた上で動いた。

「稲盛さんは第二電電を立ち上げるとき、個人で株を持ちませんでした。創業者利得は一銭も手にしていないはずです」と小野寺は言う。

この頃、稲盛はある種の達観した境地に至っている。第二電電とほぼ同時期に、稲盛財団と盛和塾を立ち上げているのだ。稲盛財団はその後、権威ある「京都賞」を作り、盛和塾では全国の中小企業経営者に経営哲学を説いている。「社会への還元」を強く意識し始めた時期と言っていい。

そうは言っても京セラや第二電電の経営は慈善活動ではない。ビジネスとしてやるからには絶対に勝つ。稲盛は私心を否定し利他の心を説く一方で、ひとたび競争になると相手を完膚なきまでに叩きのめす。

小野寺は稲盛に連れられて何度か、京セラがスポンサーをしているサッカーJリーグ、京都パープルサンガの試合を観戦したことがある。

「そりゃあ、すごいですよ。サンガの選手がチョンボでもしようものなら、スタンドで怒鳴り散らしますから」

社会への還元を説く仏の稲盛は、一方で極端な負けず嫌いでもある。

「独占は悪」という信念があるから、それに挑む自分たちが「負けるはずはない」。

無給で取り組んだJAL再生も同じだ。動機が正しいのだから、自分が負けるはずはない。

ピンチの連続だったＪＡＬでの3年間、「失敗するかも、と考えたことは一度もありません。そういうネガティブな気持ちを一度でも持ったら、本当に失敗していたかもしれませんね」。

「自分は正しい」

一点の曇りもなくそう信じ込めるところが、稲盛の強さである。

「大嫌い」だったＪＡＬを救う

「威張っているヤツが嫌いなんや」

稲盛は「独占」という言葉が出てくると、とたんに目が鋭くなる。

稲盛は１９８４年に第二電電を設立して通信事業に参入してからずっと、旧独占企業のＮＴＴと闘ってきた。

稲盛が「独占の悪」に気づいたのは京セラを立ち上げて十数年たった頃だ。

京セラが米シリコンバレーに進出したのは創業10年目の１９６９年。2年後、サンディエゴにも拠点を作り米国本社とした。ある日、米国本社を訪れた稲盛は、米国人の幹部社員が４０００キロメートルも離れた東海岸の顧客と楽しげに長電話しているのを見咎めた。

「話は用件だけにせな、通信費用が大変なことになる」

米国人幹部は平然としていた。

「ボス、通信費なんて気にすることないですよ」

当時、米国の電話料金は日本の10分の1だった。米政府は1970年代に通信自由化に踏み切り、独占企業だったAT&Tはスプリント、MCIといった新興勢力との競争に追われ、電話料金はどんどん下がっていった。

日本は電電公社が市場を独占しているから、国民が高い電話料金を払わされている。

「独占は悪である」

これが稲盛の「反独占」の原点だ。

航空業界の国策企業として誕生し、日本からの国際線市場を事実上、独占してきたJALも、稲盛から見ればNTTと同じ「挑むべき敵」であった。

しかしJALがなくなれば日本の航空業界は事実上、ANAの「独占」になってしまう。稲盛は独占を防ぐために「大嫌い」だったJALを救うことにした。「独占は悪」という考え方は同じである。

分限者に反発

稲盛の体にはそもそも「反骨」の血が流れている。

生まれ育った鹿児島は士農工商の階級差がはっきりした土地柄だった。

父が印刷業で成功したこともあり、稲盛の一家は島津の武家屋敷が集まる地区に住んでいた。近所には西南戦争で西郷隆盛に従った辺見十郎太の家があり、小学校の友達はみんな士族。幼い稲盛が「自分の家も士族」と思うのは無理からぬところだった。

「それにしては、ウチには刀がないなあ」

友達の家に行くと、どこも立派な刀が飾ってあるのに、自分の家にはない。不思議に思った稲盛は、兄と一緒に家中を探し回り、ついに屋根裏から古い日本刀を見つけた。

「やっぱりウチも士族じゃ」

兄弟は喜んだ。

ところが旧制中学に進むとき、願書に身分を書く欄があり、父親はそこに「平民」と書いた。刀は、稲盛一家の前にその家に住んでいた士族が忘れていったものだった。

「そりゃあもう、がっかりするやら、くやしいやら」

そう思って振り返れば、周りの友達が自分を「そういう目」で見ていたような気もする。稲盛の母は強い人だった。稲盛の父方の祖母は早くに亡くなっており、稲盛の母は亭主の弟たちの母親代わりでもあった。

ある日、一番下の義弟（稲盛の叔父）が近所に住む士族の七高生に殴られて帰ってきた。稲盛の母は義弟の手を引き、もう片方の手には木刀を携えて相手の家に押しかけた。

「七高に行くような教養のある人間が年下の者にけがをさせるなど、情けないと思わんか」

相手を一喝してわびさせた。いざとなったら木刀で一戦交える気だったらしい。稲盛はそんな母の息子である。

「昔はお金持ちのことを分限者《ぶげんしゃ》と呼びました。私は昔からそういう上流階級に対して無性に反発するところがありました」

生活感覚は「平民」のまま

通信参入に当たって、稲盛たちが当て込んでいたのは全国に線路網を持つＪＲだった。線路を借りてそこに通信回線を敷設すれば、初期投資はかなり抑えられる。

だが千本たちが頼みに行くと、ＪＲはなかなか色よい返事をくれない。しばらくすると

「自分たちも通信市場に参入するから線路は貸せない」と言ってきた。

ＪＲと並んで目をつけていたのが東名高速などのインフラを持つ道路公団。しかし、こちらも歯切れが悪い。やがてトヨタ自動車と組んで通信に参入することが明らかになった。

結局、第二電電はゼロから自前で通信網を敷くことになる。最初に手を挙げたときには「巨大企業ＮＴＴに挑むベンチャーの旗手」と稲盛を持ち上げたメディアも、ＪＲや道路公団が出てくると、すっかりそちらに目を奪われ、第二電電はサービスを始める前から「負け組」扱いを受けた。

ＮＴＴだけでなく、ＪＲ、道路公団、トヨタといった大企業にも包囲され、金もない設備もない、人材も不足している第二電電は、絶体絶命のピンチに陥ったように見えた。それでも稲盛は意気軒昂だった。

50代前半の稲盛は、ＮＴＴを辞めて「通信改革」の志を持って集まった若い社員を引き連れて、よく「コンパ」を開いた。

安い牛肉をどさどさと放り込んだすき焼きをつつきながら、「絶対に勝てる」と繰り返すのだ。酔いが回る頃には、若い社員たちもすっかりその気になり、「よし行こう」と気勢を上げる。

「まあ、思想改造というか布教というか。絶体絶命のはずなのに、稲盛さんがいると負ける気がしなかった」と千本は振り返る。

ちなみに81歳になったいまでも、稲盛の好物は牛丼である。「有楽町の吉野家が一番うまい」というのが持論で、牛丼の蘊蓄《うんちく》を傾けだすと止まらない。他人が見れば京セラ、ＫＤＤＩを成功させた稲盛は押しも押されもせぬ分限者だが、その生活感覚は「平民」のままである。

その後、通信市場には商社や外資も参入し、30年にわたって激しい競争が繰り広げられた。激戦を勝ち抜いたのは稲盛のＫＤＤＩと孫のソフトバンク。ＪＲも道路公団も商社も外資も退散し、いまＮＴＴと対峙するのは２人の起業家が作った会社だけである。

「結局、経営力の差だと思います。大企業から天下ってきた経営者とは器が違う」

後にイー・アクセスを立ち上げて自らも起業家となった千本は、２０１２年に自分の会社をソフトバンクと経営統合させることを決めた。決断するとき、頭に浮かんだのは稲盛の顔だった。

「私の人生を変えてくれたのは、経営を教えてくれたのは稲盛さんです。しかしイー・アクセスの社員のことを考えて、最後は孫さんを選びました」

千本は少し寂しそうに笑った。

5
章

これが経営か

再上場し、大西会長（左）、植木社長（中）と記者会見にのぞむ
（写真提供：日本経済新聞社）

「立派な計画」と「立派な言い訳」

稲盛が経営の要と考える月に1回の会議がある。

業績報告会。

約30人の役員が1人ずつ、その月の予定数値、それに対する実績、翌月の見通しを説明する。報告を聞きながら、稲盛は細かい数字がビッシリ書き込まれたA3の用紙をなめるようにして読み、次から次へと質問を繰り出す。実績が予定を下回っていても、上回っていても稲盛はその理由を聞く。答えられない者には容赦のない叱責が飛ぶ。

執行役員運航本部長時代の植木（現社長）もやり玉に挙げられたことがある。

「（パイロットが使う）ヘッドセットの修理代が増えとるな。なんでや」

「……」

植木は答えられなかった。

「それでよく1400人のパイロットを束ねられるな」

稲盛の顔にはそう書いてあった。

毎月、稲盛の手元に集まるA3の紙は80～100枚にもなる。それを81歳とは思えない集中力で読み込み、他の役員が見逃すような「ほころび」を見つけ出す。会議を始めた2010年の5月には、答える側が「全滅」（植木）だったので、会議が終わるまでに3日を要した。いまでも1日半はかかる。

業績報告会は稲盛道場の様相を呈する。費用が増えた理由を「月ズレ（前月の計上が間に合わなかったので今月の支払いが増えた）です」などと説明しようものなら、「業務プロセスがなっていない」とコテンパンにされる。

「粗々で50億円です」と説明すれば「粗々ってなんや」。

「ざっくり8割というところです」と言えば「ざっくりではダメや」。

JALの役員が得意とする官僚的な修辞は、ことごとく撃墜された。

飛行機は台風が来れば飛べないし、景気が悪くなればビジネス客は減る。為替の変動、原油の高騰。業績悪化の言い訳には事欠かないのが航空ビジネスである。「立派な計画」を立てておいて、達成できなければこれらの要素を総動員して「立派な言い訳」を作り上げる。JALエリートの姿は中央官庁の官僚とそっくりだった。

だが稲盛は言い訳も官僚も大嫌いだ。JALの役員が特有の官僚的な修辞を使う度に、いちいち目くじらを立てた。民営化したNTTに総裁として乗り込んだ真藤恒が、電電公社時代の修辞が抜けない社員を「電電語を使うな」と叱ったのによく似ている。それは一種の思想改造だった。

数字にはすべて理由がある

入社以来34年間、パイロットとして飛び続け、役員になるまで本社で勤務したことがない植木は言う。

「パイロットにとってPDCA（プラン＝計画、ドゥー＝実行、チェック＝検証、アクト＝改善）は当たり前です。特にCとAは命に関わることですから、常にそれを繰り返します。しかし本社勤めが長い人たちは、Pに膨大な労力を費やし、D、C、Aがおろそかになる傾向がありました」

立派な計画を立てたところで仕事は終わり、実行も検証も改善もしないのだから、結果が伴うはずがない。どうして計画通りにいかなかったのか。さまざまな外的要因を挙げて美しく言い繕える者が出世する。「粗々」「ざっくり」と言っておけば、あとで数字がずれてもウソをついたことにはならない。誤差が粗々の範疇を超えたときには「月ズレ」で逃げる。そんな習性が染み付いていた。

あるとき業績報告会で役員がこんな修辞を使った。

「数字が暴れるのです」

すると稲盛は烈火のごとく怒った。

「暴れる数字などない」

なぜ収入が減ったのか。なぜ費用が増えたのか。数字にはすべて理由があるはずだ。それが分かれば、次の手が打てる。だが天気や景気のせいにした説明では、対策の立てようがない。それでは経営にならない。

稲盛に修辞を禁じられたＪＡＬの役員たちは、会議の前に入念に情報武装するようになった。毎月、業績報告会の前になると役員は部長に、部長は課長に、課長は課員に、事細かな説明を求める。おのずと全員が現場の事情に精通していった。修辞を禁じられたことで、役員室に閉じこもっていた彼らは知らず知らずのうちに現場に下りていった。

もちろん数字を細かく把握すること自体が経営の目的ではない。その数字をベースにどう判断を下し、どう動くのかを稲盛は問う。

再び業績報告会。担当役員が説明する。

「……という理由から、今月は収入が減っております」

「で」と稲盛。

「はい?」

「減ったのは分かった。だからどうするんや」

「それは、その……」

「おまえは評論家か!」

先月と今月の数字の変化を把握し、その原因を突き止め、対策を練り、翌月の見通しを立てる。そこまでやらなければ、稲盛は納得しない。

数字の羅列からストーリーを読み解く

2010年2月にJAL会長になった稲盛は、まず空港や営業所などの現場を回り、その後、全子会社の社長約100人と面談した。1人1時間の延べ100時間超。週末もぶっ通しで、朝9時から夕方6時まで2週間、昼食もろくにとらずに話を聞いた。

本社の役員フロアで座っているだけでは、何も分からない。100人の子会社社長とじっくり話し合えば、グループ会社から上がってくる数字の向こうに人の顔が浮かんでくる。

「あいつは、なかなかようやっとるやないか」

ていく。

「あいつは苦労しとるなあ」

無味乾燥な数字の羅列から稲盛は声なき声を聞き、その背後にあるストーリーを読み解いていく。

「細部を見なければ会社は見えてこない」

50余年の経営歴でたどり着いた境地である。

「それにしても、なんであんな細かい数字を見つけられるのですか」

植木は社長になってから一度、稲盛に聞いたことがある。稲盛は笑いながら答えた。

「おかしなところはな、向こうから数字が目に飛び込んでくるんや」

「ああ、あれか」

パイロット歴34年の植木には思い当たることがあった。パイロットとしてベテランの域に達したある日を境に、無数の計器に囲まれたコックピットの中で、異常な数値は探さなくても目に飛び込んでくるようになった。

だが新米社長の植木は資料を見ても数字が浮かび上がらない。細かい数字から経営の問題点を言い当てる稲盛を見て思う。

「これが経営か」

スカイチームかワンワールドか

移るべきか移らざるべきか。それが問題だった。

会社更生法の適用申請後にJAL社長になった大西（現会長）は、いきなり大きな選択を迫られた。航空連合の移籍問題である。

現在の世界の航空業界における競争は、コードシェア便やマイレージサービスの相互付与などで旅客の利便性を競う「団体戦」になっている。

世界の主な航空連合はユナイテッド航空などが属する「スターアライアンス」、デルタ航空が中心の「スカイチーム」、アメリカン航空とブリティッシュ・エアウェイズ（BA）が引っ張る「ワンワールド」の3つだ。

JALはワンワールド、ANAはスターアライアンスに属している。連合の規模は27社を擁するスターアライアンスが最大で、これに続くスカイチームが19社。JALが属するワンワールドは12社で最も小さい。

破綻前のある時期、JALはデルタ航空またはアメリカン航空との資本業務提携で、ピンチを乗り切る道を模索した。デルタとの提携が本命視されたこともあったが、それで乗り切れるほど状況は甘くなく、最終的には会社更生法の申請に至った。

しかし法的整理の方針が決まった後も、デルタは自陣営にＪＡＬを引き入れるため、さまざまな提案をしてきた。これを受け、ＪＡＬ社内でもアライアンスの見直しが検討されていた。

ライバルのＡＮＡがいるスターアライアンスに移るわけにはいかないが、デルタのスカイチームなら移籍の可能性がある。スカイチームに移ればデルタはＪＡＬ再建に全面的に協力するという。悪い話ではなかった。

「航空連合は規模が命。スカイチームに移るべきだ」

ＪＡＬの中堅・若手社員は、あらゆるデータを検討した結果、スカイチームへの移籍を主張した。

「移籍するなら、経営破綻したいましかない。このチャンスを逃す手はない」

国土交通省もデルタと提携し、スカイチームに入る案を支持していた。

結論は（２０１０年）２月中に出さねばならない。社長になったばかりの大西は揺れた。

当初、稲盛は移籍問題にほとんど興味を示さなかったが、これが経営の一大事であると認識すると、ワンワールド、スカイチーム双方の首脳に会うと言い出した。

ＪＡＬのお客様の特典はどうなる

先に会ったのはスカイチーム。

デルタの経営陣は何十人ものコンサルタントや弁護士を引き連れてＪＡＬを訪れ、大プレゼンテーションを展開した。

「スカイチームに移籍した場合、ＪＡＬには次のようなメリットがあります」

「アライアンスの移籍には多額の費用がかかりますが、それは我々が負担します」

（なるほど、聞きしに勝るやり手だな）

相手を圧倒するようなデルタのプレゼンテーションを聞きながら、稲盛はそう思った。

次はワンワールド。

アメリカン航空の最高経営責任者（ＣＥＯ）、ジェラルド・アーピーは強い危機感をにじませていた。ＪＡＬの現場や国土交通省がデルタに傾いているという情報はすでに入っている。何とか巻き返したいが、規模で劣るアメリカンはデルタのような好条件を提示できない。

アーピーはこう言った。

「再建に向けてＪＡＬはこれから、さまざまな問題を抱えるでしょう。我々はＪＡＬの再建に全面的に協力していきたい」

（ふむ、人柄はなかなかだが、ちと迫力不足か）

両陣営のプレゼンテーションを聞き終わった稲盛が出した答えは「残留」だった。

「なぜだ」

スカイチームへの移籍を主張してきたＪＡＬの現場は収まらない。大西は板挟みになった。

稲盛は納得がいかない顔をしている大西に、こう言った。


「大西君、アライアンスを変えるというのは、大変な作業だろう」

「まあ大変といえば大変ですが、それを上回るメリットがある、と現場は言っています」

「うん、そうかもしれないが、ＪＡＬがいまやらねばならんことは何だ」

「再建です」

「そうだ。ならば、わき目を振らず再建に集中すべきではないか」

「なるほど」

「大西君、もう1つ聞くが、スカイチームに移籍したら、ワンワールドで得たＪＡＬのお客様の特典はどうなる」

「それは消えます」

「いまＪＡＬに乗ってくださっているお客様は、ＪＡＬがこんなことになって、それでも乗ってくれているお客様じゃないか。そのお客様にメリットのないことをすべきではないだろう」

そして最後に稲盛はこう言った。

「なあ大西君。わしはビジネスで一番大事なのは信義やと思う。アメリカンはいままでともに闘ってきた仲間や。それを自分たちの都合だけで捨てていいのか」

腹の底に落ちるまで、とことん考える

このときの決断を稲盛はこう説明する。

「私は航空業界の素人ですから、専門的なことは分かりません。２人のＣＥＯの話を聞きながら、人柄を見ていたのです」

「そしてこう考えました。我々がスカイチームに移れば、太平洋路線ではデルタが圧倒的に有利になる。ＪＡＬにとっても悪い話ではない。一方のアメリカンは、片方の翼をもぎ取られるようなダメージを受ける。しかし、この件に関してアメリカンに落ち度はない。移籍はあくまで我々の都合です」

「デルタの提案は確かに魅力的でしたが、そのために落ち度のないアメリカンを見捨てるというのは、理にはかなっていても信義にもとる。アーピーさんは信頼できる人だった。ここは利害得失で動くより、人間性で決めようと思ったのです」

稲盛の決断を横で見ていた大西は言う。

「我々が考えるような、どっちが得、どっちが損という次元じゃない。稲盛さんは物事の本質が腹の底にすとんと落ちるまで、とことん考える」

「自分が『本当にそうだ』と思えるところまで考え抜いた結論だから、後は何があってもぶれない。稲盛さんの話を聞いて私も腹落ちしましたから、その後は現場の連中ととことん話して、分かってもらいました」

稲盛の決断に感激したアメリカン航空CEOのアーピーは、稲盛が書いた『生き方』の英語版を同社の幹部数十人に配った。それだけでは足らず、ダラスの本社に稲盛を招いて講演を頼んだ。稲盛がアメリカン航空の幹部に「リーダー論」を講義すると、アーピーはお礼に特別あつらえのカウボーイハットとブーツとベルトを贈った。

「航空業界の素人で、つぶれた会社の会長が、アメリカくんだりまで行って講演するのも変な話やけど、ＪＡＬとアメリカンの信頼関係が強まったのだから、よしとしますか」。稲盛はそう言って笑う。

航空連合の一件を通じて、稲盛は大西に「フィロソフィ」の実践を教えた。大西もそれを吸収した。

大西は努力家で優秀な弟子だった。だが「3年でＪＡＬの取締役を退く」と決めていた稲盛は、もう1人、自分の経営を受け継ぐ者を育てておきたかった。

それが社長の植木義晴である。

生涯一パイロット

航空会社の社長として、植木の経歴は異色だ。

航空大学を卒業して１９７５年にＪＡＬに入社してから、執行役員になる２０１０年までの34年間、植木はずっと操縦桿を握ってきた。かつて操縦資格を持つ社長はいたが、本職のパイロットが社長になったのは日本の航空業界、始まって以来のことである。もちろん植木自身にも社長になるつもりなどさらさらなかった。それどころか、役員になるつもりもなかった。

２０１０年1月、当時ＪＡＬの子会社ジェイエアの副社長兼機長だった植木の勤務先は愛知県の小牧市だった。そこに東京本社の秘書部長から電話がかかってきた。

「植木さん、あなたに執行役員運航本部長をやってもらいたい」

「3日間、考えさせてください」

植木は即答を避けた。

「役員就任のオファーですよ。普通、断る人なんかいませんよ」

秘書部長は植木の真意を測りかね、念を押した。

「分かっています。考えさせてください」

当時JALには3000人のパイロットがいたが、管理職の部長は14～15人しかいない。その中の1人である自分に運航本部長のお鉢が回ってくる予感は、ないわけではなかったが、植木は断るつもりでいた。

ラストフライト。

定年を迎える機長は、その日だけいっしょに飛ぶパートナーを自分で選ぶ。仲の良い同期を選ぶ者もいれば、自分が育てた若手を選ぶ者もいる。無事に最後の着陸を終えると、客室乗務員たちから花束を受け取り、華やかに見送られる。

生涯一パイロット。

尊敬する先輩たちはみんな、そうしてきた。

破綻前、ベテラン機長の年収は約3000万円。赤字のたびに報酬を減らされてきた本社の役員をはるかに上回っていた。破綻前の最後の社長としてリストラに奔走した西松は「部長級の給料で働く」と言い、自らの年俸を960万円に下げた。収入だけを考えれば、機長のまま定年を迎えた方がいい。

植木は一度、航空大学の入試に落ちて慶應義塾大学に進み、それでもあきらめきれず、航空大学を受け直してパイロットになった男である。大好きで選んだ道を最後まで歩き通したい。57歳の植木は3年後に、自分もラストフライトで花道を飾るつもりでいた。

平時であれば植木は「最後まで機長でいたい」と我を通しただろう。だが、このときは状況が違った。会社が倒産していたのだ。

倒産した会社の役員になっても、苦労ばかりで報われない。しかし植木の考え方は逆だった。

「ここで役員就任を断ったら、自分だけがドロ舟から逃げたことにならないか」

同僚の顔、後輩の顔が浮かんだ。

「会社再建のためなら、操縦桿を置く意味がある」

「執行役員運航本部長に就任します」

オファーを受けてから3日後、植木は秘書部長に連絡を入れた。

機械は壊れる、人間はミスをする

1月下旬、執行役員就任を決めた植木にとって、その日がラストフライトだった。しかし役員人事はまだ発表されておらず、「今日が最後だ」とは誰にも言えない。植木は機長として、いつものように2泊3日のローテーションに入った。乗り合わせたのは機長昇格の試験を間近に控えた副操縦士だった。

離着陸は1日4回。3日で12回。植木のようなベテラン機長は1回か2回、手本を見せ、あとは副操縦士に任せるのが普通だ。しかし「これが最後」の植木は12回すべて自分で離着陸させた。驚いたのは副操縦士である。

「ぼくは機長になれないのでしょうか」

思い詰めた顔で聞く副操縦士に、本当のことを言うわけにもいかず、「そうじゃない。あと何日かすれば分かるから」と植木はその場を取り繕った。植木の人事が発表されたのは2月1日。会社更生法申請から2週間後のことだった。

運航本部長として1400人のパイロットを預かる立場に立った植木は、どうしても稲盛に聞いておきたいことがあった。安全とコストの問題である。

植木がまだ入社10年目で副操縦士だった1985年8月12日、羽田空港を飛び立ち大阪に向かったＪＡＬ123便が群馬県の御巣鷹山に墜落し、乗員乗客520名の命が失われた。翌日、フライトの予定が入っていた植木は膝がぶるぶる震えたのを覚えている。堂々と操縦桿を握る機長を見て、「自分も、いつかはこうなりたい」と思った。

このとき植木たちＪＡＬのパイロットは2つのことを胸に刻んだ。

「機械は壊れる」

「人間はミスをする」

避けることのできないこの2つの要素を事故につなげないためなら、どんなコストでも払うべきだ。事故後、中曽根康弘首相に請われてＪＡＬ会長を引き受けたカネボウ会長の伊藤淳二は「絶対安全」を目指し、1機の飛行機のメンテナンスだけを担当する「機付き整備士」などの制度を導入した。安全を預かるパイロットは以前に増して厚遇されるようになった。

「コストを削れば安全が脅かされる」

パイロットを筆頭に、運航に関わるＪＡＬの社員の多くはそう考えていた。会社が倒産したのだからコスト削減は避けて通れない。だが、そのために安全が脅かされることがあってはならない。

植木は、1回目のコンパの席で稲盛にこう尋ねた。

「会長、JALはこれから厳しいリストラを進めるわけですが、安全にはコストがかかります。安全とコストを比較したら、どちらが先とお考えになりますか」

稲盛はこう答えた。

「植木君、安全には金がかかると君は言うが、そのお金は勝手に生まれてくるものではないよ。利益がなければ、飛行機を整備するお金にも事欠くだろう。しかし安全でなければ、利益は出ない。つまり両方なんだよ」

(そりゃ、そうだけど)

当たり前すぎる答えに、植木は内心、がっかりした。

しかし、数カ月後に植木は稲盛の真意を知ることになる。

シーソーの支点を持ち上げればいい

その日、植木は運航本部長としてパイロットの配車について稲盛と話し合った。パイロットの通勤にハイヤーやタクシーを使う配車は、破綻前から「けしからん」と世間の批判の的になっていた。

真っ先にリストラの対象になってもおかしくない情勢だったが、数年前まで自分も操縦桿を握っていた植木は食い下がった。

「私は運航本部長として、これからニューヨークに飛ぶ人間を満員の山手線に乗せたくありません」

「しかし、いままで通りというわけにはいかんぞ」

「それは分かっています」

植木が示したリストラ案は次のようなものだった。

空港までの出勤は原則として公共交通機関を使う。だが確実に座れるように予約が取れ、荷物の置き場がある高速バスや電車の指定席の利用を認める。パイロットは手荷物が多いので、自宅から最寄り駅までのタクシー利用は認める。

植木の説明が終わると稲盛は聞いた。

「それは自分の家からタクシーに乗って出勤する者が残る、ということか」

「そうなります。安全のための投資とお考えいただきたい」

稲盛は目をつぶってじっと考えてから言った。

「君がそう言うんなら、必要なんだろう。分かった。それで行ってくれ」

稲盛はあっさり認めた。

「私の頭の中では、安全とコストがシーソーの関係になっていました。しかし、稲盛さんはシーソーの支点を持ち上げればいい、と考える。『安全も利益も』は可能だ、ということです」

配車という既得権を奪われたパイロットの士気が下がることを植木は何より恐れた。しかし「社員全員が経営者」を掲げるアメーバ経営が浸透すると、誇り高きパイロットが、操縦席にマイボトルを持ち込むようになった。1個2・5円の紙コップを節約するためだ。

「JAL再生のために、俺たちにもできることがある」

JALの中で特権意識が最も強いとされたパイロットたちが、そう考え始めた。植木は言う。

「パイロットのアナウンスが変わりました。私の時代は杓子定規なものでしたが、いまはそれぞれのパイロットが自分の言葉でお客様に語りかけている。それを『楽しみにしている』と言ってくださるお客様もいます」

ある日、植木が乗った便の機長は、着陸後にこんなアナウンスをした。

「本日はご搭乗、ありがとうございました。私たち運航乗務員は安全規定のため、操縦席を離れることができません。失礼ですが、ここからお見送りさせていただきます」

タラップを降りた植木が振り向くと、本当に機長が操縦席から手を振っていた。

（なかなか格好いいことをするじゃないか）

そんなルールを作ったわけではない。その機長が自分で考えて行動しているのだ。植木はＪＡＬの変化を実感した。

だが、そこへたどり着くまでは、いばらの道だった。

中途半端な仲間意識で会社は救えない

執行役員運航本部長になった植木に課せられた最初の仕事は、全体のおよそ3分の1に当たる８００人のパイロットをリストラすることだった。

「同期には、ほぼ全員に辞めてもらいました。あと数年だったのに、彼らはラストフライトにたどり着けなかった」

植木もかつては乗員組合や機長組合に属していた。辞めていく８００人は自分と同じように操縦桿を握るのが飯より好きな仲間である。

「本当にこんなことをしていいのか。これしか方法はないのか」

植木は更生計画そのものを疑い、仲間を切らずに再生できる方法がないものか、１カ月近く考えた。だがいくら考えても、他に道はなかった。

極度の緊張を強いられる飛行機のコックピットで34年間を過ごし、精神力には自信のある植木だが、運航本部長になって半年もすると精神のバランスが崩れそうになるのを感じた。植木はそのことを稲盛に素直に打ち明けている。

「会長、苦しいです」

すると稲盛は植木にこう尋ねた。

「植木君、君の大義は何だ。君は何のためにパイロットを辞めたんだ」

植木は半年前、執行役員になったときの決心を思い出した。

「会社を再建するためです」

中途半端な仲間意識で会社は救えない。植木は腹をくくり直した。


運航本部長になってからまだ10カ月しかたっていない2010年12月、植木は稲盛に呼ばれた。何かと思って会長室へ行くと、稲盛はさらりと言った。

「今度は路線統括本部長をやってもらう」

植木は椅子から転げ落ちそうになった。

路線統括本部はJALにアメーバ経営を移植するために稲盛の肝煎りで新たに設置される

していた。

戦略部門だ。誰が本部長になるのか、新米役員の植木は、他の執行役員たちと気楽に噂話をしていた。

「いや、私にはそんな知識も経験もありません」

植木が固辞すると、稲盛は言った。

「そんなことは知っとるよ」

自分の経営哲学を受け継ぐのは誰か。稲盛はJALに来てから10カ月、30人の執行役員を注意深く観察していた。

「京セラやKDDIで社長を選ぶときと同じです。要はリーダーたり得るか。人間性、人柄が優れていないと社長は務まらん。官僚はダメや」

その基準でふるいにかけ、最後に残ったのが植木だった。

企業再生支援機構から企業再生支援委員長としてJALに来ていた弁護士の瀬戸英雄も、同じ意見だった。

2011年1月11日、植木は再び稲盛に呼ばれた。

部屋に入ると稲盛と瀬戸がいた。

「君に社長をやってもらうよ」

「はい」

植木に迷いはなかった。

6章

アメーバの威力

並外れた集中力で経営資料を読み込み、数字のほころびを見つけ出す
（写真提供：盛和塾）

伝道師のアメーバ人生

「商売人感覚を持った人があまりに少なく、八百屋の経営も難しい」

ＪＡＬ会長になって１カ月半になる２０１０年３月。稲盛は記者会見でこう嘆いてみせた。稲盛に請われ、会長補佐（後に副社長）としてＪＡＬに乗り込んだＫＣＣＳマネジメントコンサルティング会長の森田直行も、同感だった。

「こんな会社、本当に更生できるのか」

森田は稲盛が編み出した部門別採算制度（アメーバ経営）の伝道師だ。これまで国内を中心に約４５０社にアメーバ経営を移植してきた。

森田は稲盛と同じ鹿児島大学の工学部で有機化学を学んだ直系の後輩である。かつて稲盛も世話になった鹿児島大学の教授に「ウチのＯＢが作った面白い会社がある」と勧められ、１９６７年に京セラに入社した。まだ京セラは設立８年目のベンチャー企業だった。

森田は滋賀工場の生産管理部に配属された。すでに製造現場ではアメーバ経営の原型といえる「時間当たり採算」の考え方が取り入れられていた。

1968年、京セラは業務管理に富士通製のコンピューターを導入することになった。ところが生産管理の部門は文系の社員ばかり。「おまえがやれ」。入社2年目の森田にお鉢が回ってきた。ここから稲盛の無理難題に応える森田の「アメーバ人生」が始まる。

森田は大阪にある富士通の事務所に通ってコンピューターの使い方を勉強し、3人のチームでシステムを構築し始めた。最初はお決まりの給与計算。しかし、それだけではせっかくのコンピューターがもったいない。森田は受注管理にコンピューターを使おうと思い立った。

当時、京セラが作る電子部品はほとんどが受注生産だったが、数字を見れば会社の状態がたちどころに分かる「ガラス張りの経営」を目指していた稲盛には、不満があった。営業部門の受注残と製造部門の受注残がずれるのだ。営業、納品、製造といった各部門がそれぞれ台帳を持ち、その台帳がシームレスになっていなかった。

「なんとかならんか」

稲盛に頼まれた森田は、2年がかりでコンピューターを使った受注生産販売システムを組み上げた。製造部門と販売部門のコミュニケーションが円滑になり、時間当たり採算の精度は格段に上がった。

人間には数字を追いかける本能がある

2年後、稲盛は別の注文をつけた。

「なあ森田君、製造部門の時間当たり採算は、かなり正確に分かるようになったが、営業部門の時間当たり採算は分からんもんか」

森田は営業部門にも、1日の売り上げや経費をその日のうちにコンピューターに入力する仕組みを作り、営業部門でもアメーバの時間当たり採算をはじき出せるようにした。

それからしばらく、森田は新工場の立ち上げを担当しアメーバ経営から離れたが、1980年頃本社に戻ると、また稲盛の注文が待っていた。

「なあ森田君よ、京セラ全体に浸透してきた（アメーバ経営の）管理会計と、（損益計算書を作るための）月次決算の数字が合わんのだ。なんとかならんか」

損益計算書を作るときには、数字を事後処理するケースがかなりある。それは制度上、認められた方法だが、その日の数字はその日のうちに処理するアメーバ経営の管理会計とは違う数字になってしまう。森田は事後処理をなくすことで、月次決算の精度を上げた。

「経営をガラス張りにしたい」という稲盛の欲求はそれでもまだ、満たされない。

「なあ森田君、今度は月末にその月の概算の数字が欲しいんや」

稲盛が求めたのは受注、生産、売上高、経費、税引き前利益の数字だった。月末に数字を締める前に、その月の概算の実績を出せというのだ。

森田はこの難題にも応えた。この時点で、ついに事業部、部、課の単位で月次の結果が月末に分かるアメーバ経営の基本形が完成した。

アメーバ経営の完成で、稲盛はリアルタイムで会社のすみずみまで見渡せる「千里眼」を手に入れたが、それは稲盛だけのものではない。森田が基本形を完成させた頃から、京セラでは工場長や営業所長が、自分の部署の月末の収支を社員に発表するようになった。

今月の努力の結果が月末に出るのだから、現場は活気づく。成果が上がれば「よしっ」と弾みがつくし、下がれば「なんでだろう」と考え、工夫をする。森田はアメーバ経営の根底にある考え方をこんなふうに説明する。

「人間には数字を追いかける本能があるんですよ。数字の根拠が明確になっていれば、誰もが目の色を変えて数字を追いかけ始める。熱くなるんです。ただし、管理部門だけは全体を冷めた目で見る必要があります。全員がお金儲けに夢中になると、会社がおかしな方向へ行ってしまうこともある」

安全を保ちながらの黒字化は可能

こうして編み出されたアメーバ経営は、人間が関わる組織なら業種を問わず機能する、と森田は考えている。

例えば、この数年での成果といえば、経営改善が最も難しい組織の1つとされる医療機関の改革だ。森田が会長を務めるKCCSマネジメントコンサルティングは複数の医療機関にアメーバ経営を移植してきた。

医師にせよ看護師にせよ、病院のスタッフはほとんどの場合、患者を治すことに一生懸命で、病院の経営にはあまり興味がない。自分が働く病院の収支すら知らないスタッフも多い。患者の治療に専念するのは医療に従事する者として当然だが、結果として経営が傾く病院は少なくない。

「KCCSがコンサルティングに入ると、ほとんどの病院が『悪気なく採算度外視の経営をしている』（森田）場合が多い。

ある病院は、糖尿病向けだけで6種類の薬を扱っていた。なぜそんなにたくさんの種類がいるのか。医者や看護師に尋ねても6種類の根拠は分からなかった。「種類を減らすと治療に支障が出るか」と聞くと「影響はない」と言う。製薬会社に勧められるまま、漫然と種類を増やしていたのだ。

実際に2種類に減らしてみたところ、何の不都合もなかった。こうして薬の種類をどんどん減らしていくと、在庫は大幅に減り、薬品に関わるコストは大きく削減できた。

アメーバ経営を導入した病院では、スタッフが20人から30人の小集団に分かれ、それぞれの集団で収支を管理する。

自分のチームが赤字で、隣のチームが黒字だと「なんでウチは赤字なんだろう」とスタッフが考え始める。負け続ければ「何とかしなくては」と焦る。正しい情報を開示すれば、お尻を叩かなくても、スタッフが本能的に数字を追いかけ始める。

誰かが「こうしてみたらどうか」というアイデアを出し、それが赤字の縮小や黒字転換につながれば、チームの全員が達成感を味わう。それを見ていた隣のチームは、早速その手法を真似し、アイデアが病院全体に広がっていく。

しばらくすると、これまで「こっちは忙しいんだから、闇雲に患者を詰め込まないでくれ」と抵抗していたスタッフがベッドの稼働率を気にするようになり、空きベッドがあれば「どんどん受け入れていい」と言い始める。ここまでくればしめたもの。

「気がつけば、万年赤字の病院が黒字化していますよ」と森田は言う。

病院と航空会社はある意味でよく似ている。

病院にとって最優先の使命は患者の治療である。「治療のため」のコストを惜しむべきではないし、利益のために治療の質が下がるなど、あってはならないことである。だから病院の経営は放漫になりがちだ。

航空会社にとって最優先の使命は乗客の安全である。「安全のため」のコストを惜しむべきではない。だから乗客の命を預かるパイロットは厚遇を受けてきた。安全を脅かすリストラなど、あってはならない。まして御巣鷹山の事故を起こしたＪＡＬにおいて、安全は聖域だった。

「でも病院や会社がつぶれてしまっては、元も子もないですよね」と森田は言う。

ＫＣＣＳマネジメントコンサルティングが黒字にした医療施設で、治療の質が低下した例はない。ＪＡＬでもアメーバ経営を使えば、安全を保ちながらの黒字化は可能なはずだ。

しかし、ＪＡＬに乗り込んだ当初は、百戦錬磨の森田も自信が揺らいだ。

全員が経営者の感覚を持つ

ＪＡＬをアメーバに分割してみると、そのほとんどが赤字だった。企業再生支援機構が作った更生計画では初年度に600億円の営業利益を出すことになっていたが、「どうやればそんな利益が出せるのか」。まるでイメージがわかなかった。

しかし稲盛は「アメーバ経営の伝道師」である森田に全幅の信頼を置いている。

稲盛が「やれ」と言っているのだから「やるしかない」。

森田は腹をくくった。

製造業の京セラで生まれたアメーバ経営をJALに移植するのは、予想通りの難事業だった。

「利益より安全を優先する」

「公共交通機関だから赤字路線でも飛ばす」

JALには会社のすみずみにまで、こうした公社的な意識が浸透していた。

「立派な考え方だと思います。しかし利益がなければ安全のための投資も、路線の維持もできない。利益のために安全を犠牲にしろというのではない。安全のために利益が必要なのです」

アメーバ経営導入の前段階として、森田はこう説き続けた。

しかし公社的な価値観に支配されたJALには、中枢の経営企画が作った予算を、各部門は「消化する」習慣が染み付いていた。景気悪化や天災で外部環境が変わっても、決められた予算を淡々と消化していく。変化に対応できず赤字になるが、それは計画を作った経営企画が悪いわけでも、計画通りに予算を消化したその他の部門が悪いわけでもない。誰も責任をとらないまま、損失が膨らむ構造になっていた。

「社内に数字に興味のある人がいない」

それがＪＡＬに乗り込んだときの森田の第一印象である。乾いた雑巾を絞る京セラに比べれば、びしょ濡れの雑巾に等しい。すぐにでも京セラ流の部門別採算制度を入れて、利益を絞り出したいところだった。だが、森田はぐっと我慢した。ＪＡＬの社員のプライドに配慮したのだ。

社員全員が経営者の感覚を持つのがアメーバ経営の要諦である。稲盛や森田に押しつけられた改革では、社員が「やらされ感」を持ってしまう。それでは稲盛の言う「燃える集団」は作れない。

森田と稲盛は、半年近くかけてＪＡＬの幹部・社員と話し合い、納得ずくの組織を設計していった。アメーバ経営を実行するための新体制が出来上がったのは２０１０年12月。稲盛たちがＪＡＬに乗り込んでから10カ月後のことである。

1便ごとの収支を翌日出す

この過程で森田は不思議な体験をした。

アメーバ経営では勘定項目ごとの細かい「予実差（上ぶれ、下ぶれを含めた予定と実績の乖離）」を毎月、チェックする。稲盛は実績が予定を上回っても、その理由が説明できないと雷を落とす。闇雲に利益を増やすのではなく、現場で起きていることを精緻に知ることが部門別採算制度の狙いだからだ。そのためには微に入り細をうがつ数字が必要だ。

そこで森田が「こういう数字が欲しい」と要求すると、ＪＡＬの現場は即座にその数字を出してくる。数字には興味がないはずなのに、ちゃんと数字を持っているのだ。

「ＪＡＬの社員は優秀でした。いい加減な、どんぶり勘定をしてきたわけではない。必要な数字のほとんどは最初から社内にありました。しかし経営層にそれを使おうという意識が薄かった。情報が現場に埋もれていたのです」

必要な数字を掘り起こした森田は、それをもとにＪＡＬに最適な部門別採算制度を組み上げていった。

森田は稲盛に言った。

「JALにアメーバ経営を入れるためには、利益責任を持つ部署を作る必要があります」

「そうか」

JALの各事業部で「収入」があるのは航空チケットを売る旅客販売統括本部だけだ。パイロットが所属する運航本部や客室本部、整備本部などは収入がコストセンターである。収入がなければ収支は発生しない。これではアメーバ経営の部門別採算制度は成り立たない。

そこで、森田は路線を国内、国際に分け、近接路線をまとめた単位で利益責任を負う路線統括本部の新設を提案した。目指したのは成田―ニューヨーク、羽田―札幌といった1便ごとの「収支」が翌日分かる体制である。森田は振り返る。

「『1便ごとの収支を翌日出せるようにする』と路線統括本部の目標を説明したら、ある社員が『もうやっています』と言う。『まさか』と思ったら、日ごとの搭乗率表を持ってきました。収支ではなく収入だったのです」

航空会社というのは、突き詰めれば何万人もの人々が協力して1機の飛行機を飛ばしている1つの巨大なサプライチェーンである。1枚のチケットには、パイロット、客室乗務員、整備士の人件費から、航空機のリース料金、燃料費、果ては空港の電気料金や水道代まで、あらゆるコストが乗っている。これを因数分解するのは至難の業だった。

路線ごとの「収支」を正確に出すためには、社内の誰もが「公正」と認めるパイロット費用、客室乗務員費用、空港費用を割り出す必要がある。これらの費用は「協力対価」と呼ばれ、路線部門などのプロフィットセンターから見れば「費用」、パイロット部門などのコストセンターから見れば「収入」になる。

この「協力対価」を出し入れすることで、すべての部門に「収支」が発生する。これがアメーバ経営の基本形である。そのさじ加減を間違えると部門間に不公平が生じ、アメーバ経営はうまく機能しない。

だから稲盛と森田は協力対価を公平に割り振るため、ＪＡＬの役員・幹部との話し合いに半年近い時間をかけたのだ。それは稲盛と森田が航空会社の仕組みを理解していくプロセスでもあった。

油で汚れた手袋を洗って使う

これだけの時間をかけて公平を期したつもりでも、導入後の1年間はさまざまな問題が出た。協力対価を公平に割り振ったつもりでも、取り分が少なくて努力しても黒字にならないアメーバがあったり、何もしなくても儲かるアメーバがあったり。さじ加減はやさしくなかった。

だが試行錯誤を繰り返すうちに不公平感は解消され、やがてJAL版の部門別採算制度が軌道に乗った。各部門の採算はみるみる改善し始めた。

JALにアメーバ経営が定着し始めた頃、現会長の大西は、アメーバ経営が持つ「もう1つの威力」に気がついた。

管理会計でコストを削るのがアメーバ経営の第一の効能だが、普通のリストラでコストを削れば社員の士気は低下する。人を減らされ経費を減らされるのだから、それが当たり前である。だがアメーバ経営の場合、経費を削っているのに社員の士気が上がる。いったい何が起きたのか。

会長のいまも、ときどきマラソンに挑戦するスポーツマンの大西はこう説明する。

「サッカーでもラグビーでもいいんですが、試合が終わった2カ月後に『君たち実は勝っていたんだよ』と言われても、ちっとも燃えないでしょ。試合中、点差も残り時間も分からないのに『頑張れ、頑張れ』と言われて、頑張れますか。おまけにフィールドに出ている選手は3万人ですよ。たとえ試合に勝ったとしても『自分が頑張ったから勝った』とは思えないですよね。それが破綻前のJALだったんです」

「アメーバ経営は3万人を10人ずつのチームに分けて、そのチームの勝敗が月末にちゃんと分かる仕組みです。すると『やったあ』『残念だった』と社員が一喜一憂するようになる。

かつてＪＡＬは泣きも笑いもしない組織でしたが、アメーバ経営で『生きている会社』になった」

パイロットが紙コップをやめてマイボトルを持ち込むようになった。整備士はいままで捨てていた油で汚れた手袋を、洗ってもう一度使うようになった。それは単なる「ケチケチ作戦」ではない。こうした行為が自分のアメーバの収支改善につながったとき、パイロットや整備士は「自分もＪＡＬの再建に貢献している」という実感を味わっている。

３カ月に一度の四半期決算が発表になる日には、客室乗務員もパソコンの前で待ち構え、決算数字が公表されるとすぐにプリントアウトして、「出たわよー」と部内で用紙を配る光景が見られる。以前のＪＡＬなら期末の決算がいつ発表されたか知らない乗務員も多かった。

アメーバ経営を導入したことで、ＪＡＬ社員の業績に対する感度は研ぎ澄まされた。稲盛が言うところの「社員全員が経営者」に近づいたのだ。

アメーバの利益が増えても、メンバーの給料が増えるわけではない。だが、頑張ればすぐに数字に表れ、「あなたのところ、頑張ってるわよね」と他のアメーバのメンバーから一目置かれれば、それがモチベーションになる。

必要なサービスが赤字というのはおかしい

２０１２年３月期のＪＡＬの営業利益は２０４９億円で過去最高を更新した。更生計画を大きく上回る数字だが、数百億円はアメーバ経営導入による「細かなコスト削減効果の集積だ」（証券アナリスト）という。

２０１１年３月の東日本大震災で海外から日本に来る旅行者やビジネスマンが減り、国内便の利用者も落ち込んだ。森田は「これで更生計画は厳しくなった」と思ったが、ふたを開ければ杞憂に終わった。震災の直後から、現場の判断で減便、小型機への切り替え、乗員の配置換えなどが機動的に進み、損失を最小限に食い止めたのだ。

ＪＡＬの再上場を成し遂げたことで、アメーバ経営に対する認知度は以前より格段に高まった。トヨタ自動車の「カンバン方式」やＧＥの「シックスシグマ」にはまだ及ばないが、「ウチもアメーバ経営をやってみようか」という大企業が現れてきた。

例えば資生堂。日本の名門化粧品メーカーである同社は、海外市場で欧米勢との競争に苦戦し、業績低迷が続いている。２０１３年４月には会長の前田新造が社長に返り咲いた。前田は「稲盛さんの経営に学びたい」と公言し、アメーバ経営を導入する意欲を示している。

日本より早くアメーバ経営が浸透する可能性があるのが中国だ。中国では稲盛の著書『生き方』の販売が130万部を超えるほど、稲盛のファンが多い。アメーバ経営を学びたいという経営者も多く、2012年6月には森田のKCCSマネジメントコンサルティングが上海に拠点を作った。

森田は言う。

「例えば水道。上下水道がなければ生活は成り立たないわけですから、水道は社会にとって絶対に必要なサービスです。その事業が赤字、というのはどこかに矛盾があるのです。必要な製品やサービスを手がける組織は黒字にならなければおかしい。病院も同じです。しかし、公立病院には『利益を出してはいけない』という風潮すらある。アメーバ経営の考え方を入れれば、パブリックセクターも黒字化が可能です」

「経営をガラス張りにしたい」という稲盛の執念が生んだアメーバ経営には、我々がまだ知らない威力が秘められているのかもしれない。

787型機問題を乗り越える

2013年1月7日、米北東部マサチューセッツ州ボストンの空港に着陸したJALの中型旅客機の機体が発火した。機体は２０１１年に商用飛行が始まった米ボーイングが開発した新鋭の７８７型機だった。引き渡しから18日しかたっていない新品の機材だった。

　1月16日、今度は国内で、ＡＮＡの７８７型機が山口宇部空港を離陸した直後に煙を感知し、高松空港に緊急着陸した。国土交通省は事故につながりかねない「重大インシデント」と認定。ＪＡＬとＡＮＡは保有するすべての７８７型機の運航を停止した。

　煙は７８７型機に搭載されたバッテリー周辺から出ていたが、発火のメカニズムはなかなか解明されず、いつになったら運航を再開できるのか、この時点で見通しは全く立たなかった。

　ボーイングの７８７型機は燃費性能が高く、中型機ながら長い距離を飛べる。航空会社にとっては大幅な収益改善を見込める夢の旅客機だ。しかし技術的に新しい試みの多い旅客機だったこともあり、開発は難航。出荷は遅れに遅れ、航空会社は何年も待たされた。

　最初に７８７型機を世界で初めて商業運航させる「ローンチカスタマー」の栄誉に浴したのはＡＮＡである。２０１１年10月26日、成田―香港間を鮮やかな青い「ＡＮＡ」のロゴを染め抜いたスリムな機体が飛んだ。ＡＮＡは世界で最も多い17機の７８７型機を保有している。

　ＪＡＬはＡＮＡから半年遅れの２０１２年4月22日、成田―ボストン間で７８７型機を初就航させた。ＪＡＬが保有する７８７型機は全部で７機である。

ＡＮＡに比べれば少ないが、７機すべてが飛べないとなると、成田発ボストン行き、羽田発シンガポール行きなどドル箱路線に穴が空く。７機の穴は小さくない。

穴を埋めるには、退役が決まっている機材を引っ張り出してきたり、予備の機材を使ったり、運航スケジュールをやりくりしたりしなくてはならない。運航スケジュールが変われば、パイロットや客室乗務員のやりくりも変える必要がある。運航スケジュールの変更を利用者に知らせる「アウトコール」をするために、コールセンターは大増員しなくてはならない。飛ぶはずの路線で飛べない便が出れば、収支にも影響するから財務部門も巻き込まれる。

７８７型機の運航停止は再上場を果たしたばかりのＪＡＬが迎えた最初の大きな試練だったが、この時点ですでにアメーバ経営とフィロソフィが定着していたＪＡＬは、かつてのＪＡＬとは比較にならないスピードで、この大問題をクリアーしていった。

自分で決めて、自分でしゃべれ

７８７型機全機の運航停止が決まった翌日、1月17日の朝8時30分。ＪＡＬ本社には会長の大西、社長の植木を筆頭に、ほぼ全員の役員が集まり、関連部署の部長級を含めた約70人の対策会議が開かれた。ここから毎朝、約1カ月間、続くことになる長い闘いの始まりだった。

「この会社、本当に変わったなあ」

787問題で一番の当事者の1人だった執行役員で国際路線事業本部長の米沢章は、毎朝集まって問題に対処する経営陣の姿を見ながら、そう思った。

以前のJALだったら、この種の問題は一義的な責任を負う路線事業本部に任され、他部門の役員が毎朝駆けつけることはなかった。他部門の協力が必要な場合には、米沢たちが各部に足を運び、頭を下げて頼むのだ。

しかし、今回は米沢たちが頼む前に、すべての部門の担当役員が集まった。

「会社の一大事だ。ウチに何かできることはないか」

全員が「当事者」だった。

リーダー教育で稲盛は役員たちにこう教えていた。

「問題が起きたら、部下任せにせず、自分が動け。自分で決めて、自分でしゃべれ。その姿を見て部下が育つ。それがリーダーだ」

再上場後、初の試練となった787問題と向き合う大西、植木らJAL経営陣の姿は、稲盛の言う「リーダー」そのものだった。

「一番変わったのはここだと思いますよ」

米沢はそう言って自分の胸を指す。

他人が困っているときは助ける。リーダー教育で稲盛がＪＡＬ役員たちに向かって繰り返し説いた「利他の心」が、役員たちの中に芽生えていた。

運航スケジュールとそれに伴う乗員の配置計画は複雑かつ緻密に組み上げてある。７８７型機には専属パイロットが１５０人いるが、彼らは他の機種を操縦できないから飛びたくても飛べない。事実上の失業状態である。７８７型機の穴埋めに別の機材を飛ばす場合は、その機材を操縦できるパイロットに追加のフライトを頼まなければならない。

以前のＪＡＬなら、７８７型機の穴埋めで余分に飛ばなくてはならないパイロットたちは「過剰労働だ」と自分たちの権利を主張したかもしれない。だが、今回は違った。

「俺はもっと飛べるよ」

自ら穴埋めを買って出るパイロットが何人もいた。

飛びたくても飛べない７８７型機専属のパイロットたちは、営業マンに同行して利用者に事情を説明したり、整備工場の見学に訪れる小学生の案内役を買って出たりした。制服を着た本物のパイロットの登場に、子どもたちは大喜びだった。

2月4日、植木は決算発表の記者会見に臨んだ。記者の関心は当然、787問題に集中していた。病み上がりのJALに787問題はどの程度の悪影響を及ぼすのか。しかしこの時点では運航停止からまだ2週間と少ししか経過していない。いままでのJALなら間違いなく「影響は精査中です」という答えが返ってくるはずだったが、植木の答弁は違った。

「787型機の運航停止の影響について申し上げます。1月後半から3月末までに売上高で約11億円の減収となります。4億円の費用削減があるので、1〜3月期の営業利益では7億円程度の押し下げ要因になります」

「精査中」という答えを予期していた記者たちは、目を丸くした。数日前に787型機運航停止の影響を発表したANAは「1月の欠航による売上高への影響は14億円を見込む」と言うにとどまり、収支には言及しなかった。

「以前なら我々も収支の予測まではできなかったはずです」

JALの幹部はそう打ち明ける。ここでもアメーバが威力を発揮した。

イベントリスクへの反射神経が上がった

3月末までの精緻な収支予測を可能にしたのは組織全体の反射神経が研ぎ澄まされたから

だ。

「ある路線が欠航したときに生じるコストはどの部門がどう負担するか」

「行き先が変わるなど、変則的に飛んだときにはどう調整するか」

JALの現場に配布された分厚い「アメーバ・ハンドブック」には、イレギュラーな事態への対処法が事細かに定めてある。

元々、製造業向けに作られた「アメーバ経営」を航空ビジネスに当てはめるのは、容易ならざる作業だった。コストの適正な割り振り方がつかめず、最初の1年間は現場が大混乱した。

だがアメーバ経営に精通したKCCSマネジメントコンサルティング会長の森田と、再建のプロである米山は、試行錯誤を重ねながら、短期間のうちに航空ビジネスの仕組みを理解し、そこにアメーバ経営を落とし込んでいった。

かつて2カ月かかった国際線の便ごとの収支が、いまでは4日後に分かる。

「稼ぐ力が落ちてるぞ」

状況の変化がほぼリアルタイムで分かるから、便数を減らしたり、他の便と合便したり、国内線なら使用する機材を小型機に変えたり、といった対処がすぐにできる。

「アメーバ経営を導入する前は利用率が落ち始めてから減便するまで1カ月はかかりました

が、いまは1週間で対応しています」と米沢は言う。減便だけではない。例えば国際路線を預かる米沢は「サンフランシスコ空港のラウンジの水道代から、オーストラリアでカンタス航空に借りているラウンジの人件費まで、頭に入っている」と言う。細かいデータの積み上げが正確な予測を生み、問題に対する正しい対処法を導き出す。

アメーバ経営の特徴は事業に関わるすべてのコストを「見える化」することにある。すべてのコストがガラス張りになり、隣の部署がどれだけ減らしたかも分かるから、「ウチはまだ努力が足りない」とすぐに分かる。頑張ればすぐに数字に表れ、称賛、羨望の的になる。「マイルといっしょですよ。だんだん貯まっていくと、嬉しくなり、貯めるのが楽しくなる。社員全員の数字に対する感度が格段に上がりました」（米沢）

数値が悪くなれば、全員が「ヤバいぞ」と感じ取り、その感覚がすぐに経営層まで上がってくる。その結果、航空会社の天敵であるイベントリスク（突発的な出来事に伴う需要激減）に対する反射神経は、以前と比べものにならないレベルまで上がった。

値決めは経営

有事におけるアメーバ経営の強さを示す事例がもう1つある。

2010年9月に起きた尖閣諸島における中国漁船衝突事件の後、中国では反日デモが頻発し、日中間の旅客が激減した。JALは2011年、旅客を取り戻すため「回郷特価」というキャンペーンを打った。

回郷は中国語で「里帰り」の意味である。日本に住む中国人が中国に里帰りするときの運賃を割り引くサービスだ。中国の航空会社から利用者を取り返すヒット商品になった。

アメーバ経営導入前のJALなら、こうした新商品を投入した後、一定期間でキャンペーンを終了し、売れ行きを検証して「いける」と判断した後にキャンペーンを再開していただろう。

しかしアメーバ経営で反射神経が研ぎ澄まされたため、このときは1回目のキャンペーン中に利用者が増えていることが手に取るように分かった。米沢は1回目のキャンペーン中に「期間の延長」を決めた。

1回目のキャンペーンと2回目のキャンペーンの谷間がなくなったことで、機会損失がなくなり、利用者に再開を告知するためのコストもいらなかった。

稲盛が唱える実学の基本に「値決めは経営」という考え方がある。営業マンは売り上げを立てたい一心で、赤字受注をすることもある。これでは売り上げが増えても、利益は出ない。値決めは現場任せにせず、あらゆる要素を考え抜いて経営者が最終判断を下すべし、というのが稲盛の考え方だ。アメーバ経営を導入したＪＡＬは「値決め」の重要性に目覚めた。

7
章

たった4人の進駐軍

「細部を見なければ会社は見えてこない」。空港や営業所などを自ら回る
（写真提供：時事）

所属社員が1人もいない「幽霊部」

「これはえらいところに来ちまったぞ」

２０１０年春、京セラコミュニケーションシステム（ＫＣＣＳ）からＪＡＬの常務執行役員に転じた米山誠はＪＡＬの組織図を見て、深いため息をついた。

１９８０年に京セラに入社した米山は、入社3年目でカメラの名門、ヤシカの合併に関わり、１９９８年に会社更生法を申請した三田工業の再建にも携わった「再建のプロ」である。

「ＪＡＬにアメーバ経営を植えつけてくれ」

稲盛にそう頼まれた「アメーバ経営の伝道師」、ＫＣＣＳマネジメントコンサルティング会長の森田直行は、その場で米山も連れていくことを提案した。

「名誉会長、私1人では手が回りません。再建の実務に強い米山君が来てくれれば心強い」

「あなたがそう言うのなら、そうしてくれ」

こうして米山はＪＡＬ再生に乗り込む「チーム稲盛」の一員になった。

米山は稲盛が編み出した「アメーバ経営」を使って多くの企業を立て直してきた。だが、JALはその中でも最もひどい状態にあった。

JALに着任した米山がまず手に入れたのは組織図だ。その中には約1500の組織が登録されていた。しかし調べてみると、いくつかは所属する社員が1人もいない「幽霊部」だった。人がいない部に、なぜか費用が発生しているのである。なんとも不可解な現象だった。

「幽霊部というのは、管理の甘い会社には、よくあるものです。しかしJALの場合、その数が極端に多かった」と米山は振り返る。

「一体全体、本当に人がいて、生きている組織はいくつなんだ」

米山が精査してみると、実際に人がいる「生きている組織」は600。残りの900は幽霊部だった。かつて人がいた幽霊部にはパソコンがそのまま残っている。だからJALでは社員の数よりパソコンの数の方が多かった。

JALのような大企業はたいてい、組織・人事の管理に統合基幹業務システム（ERP）と呼ばれるコンピューター・システムを使っている。そこには組織の設立・閉鎖時期を書き込む欄がある。

米山がJALのERPをのぞくと、幽霊部の多くは閉鎖時期が「9999年12月31日」になっていた。コンピューターが受けつける最長の期間である。

「一度作った組織は未来永劫《えいごう》なくならない、ということですよ」

官僚よりも官僚的と言われるＪＡＬの体質がこんなところにも表れていた。

成長する企業は古い事業や部署をつぶして新しい事業や部署を立ち上げる「スクラップ・アンド・ビルド」によって新陳代謝を繰り返し、環境変化に適応していく。だがプライドの高いエリートが集まる大企業や官庁では、誰も失敗を認めないから「ビルド・アンド・ビルド」になり、組織がどんどん肥大化していく。ＪＡＬはその典型であった。

稲盛和夫の側近中の側近

「この会社をたった4人で立て直すのか」

１９９８年に京セラが再生のスポンサーになった三田工業の企業規模は、ＪＡＬの10分の1だった。京セラから三田に乗り込んだ再建チームは米山を含め10人だった。

しかし、今回はＪＡＬ再生を引き受けたのが京セラではなく稲盛個人という事情もあり、稲盛は「京セラにもＫＤＤＩにも迷惑はかけない」と決めていた。

だから稲盛がＪＡＬに連れていったのは、森田、大田、米山の3人だけだった。

三田の10倍の規模のＪＡＬをたった4人で立て直す。企業再生の厳しさを身をもって知っている米山は暗澹たる思いだった。

「これはあきまへんで」

ＪＡＬの副社長になった森田も最初は稲盛にそう言った。ＪＡＬという巨大な組織の中で誰が利益責任を負っているのか分からない。資材調達もバラバラで誰が何をいくら買っているのかも見えてこない。

森田と米山が「アメーバ経営の伝道師」なら、大田嘉仁は「フィロソフィの宣教師」である。

「大田君は、ぼくの秘書官だから」

稲盛は大田を自分の分身だと思っている。

稲盛は１９９１年、第３次臨時行革審の「世界の中の日本部会」部会長に就任した。このとき行革担当の秘書に起用したのが大田である。以来、20年以上、大田は稲盛に寄り添ってきた。稲盛の思考法に誰より精通した側近中の側近といっていい。

立命館大学を卒業した大田は漠然と「海外で働きたい」と思っていた。「商社かプラントメーカーか」と迷ったが、最後に選んだのは輸出比率が高く海外で仕事ができそうな京セラだった。１９７８年のことである。

鹿児島生まれの大田は稲盛と同じ町内で育ち、小学校も同じである。立派な会社を興した同郷の先輩を慕っての決断でもあった。入社すると大田は希望通り、海外営業に配属された。

　1988年には米ジョージワシントン大学に社費留学する。京セラからの海外留学は大田が2人目だった。日米経済摩擦が激しく、ブッシュ政権下で米通商代表部（USTR）代表のカーラ・ヒルズが「スーパー301条」を振りかざして日本を攻め立てていた時代である。大田はここでMBAを取得し、同大を首席で卒業する。帰国して経営企画室に配属された。現場たたき上げの人材が多い京セラにあって、大田はその頭脳を買われ、早くから経営の参謀役として活躍した。

　稲盛が行革担当の秘書に大田を指名したのは、こうしたバックグラウンドがあったからだ。だが京セラきっての頭脳派として会長秘書に抜擢された大田も、稲盛のそばで仕事をするようになると、稲盛の頭の回転の速さに舌を巻いた。しかも稲盛はよく勉強をする。

「なんという努力家なのか。どうしたら、この人の役に立てるのだろう」

　少しでも稲盛の役に立ちたくて、大田は必死に行政の勉強をした。大田の知識が追いついてくると、稲盛はそれを待っていたかのようにこう言った。

「大田君、君も委員会でどんどん発言したらいい。2人で日本を変えよう」

　稲盛は政財界の大物が集まる「世界の中の日本部会」で、一介の秘書である大田にも、しばしば発言の機会を与えた。ひとたび「同志」と認めれば、年齢や肩書きに関係なく対等に扱うのが稲盛流である。

それから20年近くの歳月が流れ、80歳を目前にした稲盛は新たな、そして最後の挑戦を決意した。ＪＡＬ再建である。

「今度ばかりは、本当の難事業だ。名誉会長は、ＪＡＬに誰を連れていくのだろう」

そう思って見ていた大田に、稲盛はこう言った。

「ＫＤＤＩ物語を、今度は君とやりたい」

通信の巨人ＮＴＴに徒手空拳で立ち向かい、対抗軸となるＫＤＤＩをゼロから作った稲盛は、ＪＡＬでもう一度、奇跡を起こすつもりだった。そのためにはＪＡＬで自分の分身として動いてくれる大田が必要だった。

大学生になったばかりの大田の娘は、新聞や雑誌でＪＡＬの苦境を知り、「二次破綻するって言われてるんでしょ」と、父親のＪＡＬ行きに反対した。大田にも勝ち目のある闘いとは思えなかった。だが稲盛に「一緒にやってくれ」と言われたことが、大田は何より嬉しかった。

「アメーバ」と「フィロソフィ」は車の両輪

ＪＡＬに「フィロソフィ」を植えつけるのが大田の使命である。森田と米山が持ち込む「アメーバ経営」と大田の「フィロソフィ」は車の両輪をなす。「仕組みだけ入れても、心が伴わなければ会社は良くならない」と稲盛は考えていた。

アメーバ経営は「仕組み」だが、フィロソフィは文字通り「考え方」、つまり心の問題である。水辺までは強引に連れていけたとしても、ＪＡＬの役員や社員がその気にならなければ、水を飲ませることはできない。ＪＡＬ専務執行役員になった大田が、まず心がけたのはＪＡＬの役員・社員たちのプライドを傷つけないことだった。

「主役はあくまでＪＡＬの社員。自ら変わろうとするＪＡＬの社員を手助けするのが自分の仕事。そういう気遣いは常に感じました」

京セラの教育事業本部からスタッフとして大田の手伝いに行っていたフィロソフィ教育推進部の原田祥司は、こう振り返る。

京セラ流を押しつけるだけではプライドの高いＪＡＬの社員は反発する。何が悪くて倒産したのか。どうすれば良くなるのか。大田はリーダー研修やコンパを通じて、自分たちで考えるような舞台回しに徹した。

その過程で、こんな言葉が生まれた。

「最高のバトンタッチを」

「一人ひとりがＪＡＬ」

チケットを売る者、機体を整備する者、機内食を運ぶ者、客室乗務員、パイロット。全員が自分の仕事を全うし、後ろに続く仲間に「最高のバトンタッチ」をしたときに、初めて最高のサービスが実現する。だから乗客に接する社員もそうでない社員も、「一人ひとりがＪＡＬ」を代表して働いているのだ。

ＪＡＬの社員がまとめた小冊子「ＪＡＬフィロソフィ」の一節である。黒子に徹し、ＪＡＬ社員の成長を見守ってきた大田は、「ＪＡＬフィロソフィは、京セラフィロソフィの単なる焼き直しではありません。意識改革のメンバーの献身的な努力や役員の方々の心からの協力があったからこそ意識改革は成功しつつある。心から感謝しています」と満足そうに言う。

森田と大田と米山。たったの3人だが、アメーバ経営とフィロソフィを誰よりも深く理解した3人である。経験豊富な彼らがアメーバ経営とフィロソフィのエキスを注ぎ込んだことで、ＪＡＬはわずか3年という短い時間に、万年赤字会社から黒字会社に変身した。

その変貌ぶりを米山はこう説明する。

「子どもに、お金は大切だから必要な分しか使ってはいけません、と教えると、参考書でも洋服でも、いらないものまで『必要だ』と言ってくる。JALの場合、『安全のため』と言えばいくらでも使える状況でした」

「しかし最初に5000円を渡して『大切に使いなさい』と言えば、本当に必要なものだけ買い、あとは貯めておいて、自分の欲しいモノを買うようになる。たった5000円だけど、経営者の感覚を持つわけです。この部門別採算を理解してから、コストがみるみる下がり始めました」

JALに浸透した優れた経営科学

2012年の春、米山は出張の帰りの機内販売で、大学に合格した娘のお祝いにペンダントを買うことにした。機内販売が始まると客室乗務員を呼び止めた。

「プレゼントでペンダントを買いたいんだけどね」

米山が言うと、客室乗務員はにこやかに聞いた。

「おいくつくらいの方ですか」

「今度、大学生になる娘です」

「まあ、それはおめでとうございます。10代から20代の方には、このあたりのデザインが人気です」

米山は客室乗務員が薦めてくれたペンダントを選び、品物を受け取りながら思った。

（ずいぶん変わったもんだ）

破綻前の機内販売で、客室乗務員がここまで親切に対応することは、まずなかった。対応はにこやかでも、せいぜい「どちらのペンダントになさいますか」と尋ねるくらいだっただろう。

稲盛はかつて客室乗務員の担当役員にこんな嫌味を言ったことがある。

「米国や欧州向けの国際線なら、君たちは店内にお客さんを10時間も閉じ込めるんだろ。なのにサービスが悪いから、店の売り上げはちっとも上がらんじゃないか」

アメーバ経営を導入するまで、機内販売の売上高はチケットを販売する営業の成績として計上されていた。客室乗務員がいくら一生懸命売っても、自分たちの成績にはカウントされない。機内サービスの1つだから乗客には丁寧に対応はするが、売れ行きには無関心だった。

アメーバ経営では機内販売の売上高は客室部門の収入に算入される。売れば売るほど、自分たちのアメーバの成績が良くなる。前のフライトで20万円だった機内販売の売上高が、売り方を工夫した結果として次のフライトで30万円になれば、達成感を味わえる。10万円に減れば、原因を真剣に考える。少しでも乗客に喜んでもらおうと、1人ひとりが知恵を絞っている。

ペンダントの一件で、米山はアメーバ経営とフィロソフィがJAL社内に浸透してきたことを実感した。

アメーバ経営とフィロソフィの組み合わせは、優れた経営科学である。だが、その2つがこれほど早くJALに浸透したのは、そこに生みの親の稲盛がいたからだろう。稲盛自身が振り返る。

「人様からは『晩節を汚す』と言われたが、自分のような老人が、無給で、スルメをかじりながら必死に働く姿を見て、倒産という厳しい経験をしたJALの人たちが何かを感じてくれた」

「だから短期間のうちに、JALという巨大な組織にアメーバ経営とフィロソフィが染み透っていった。いくつもの偶然が重なって、すべての舞台装置がそろった。神様が味方してくれたとしか思えない」

8章

辛抱強いバカがいい

コンパでも経営幹部や塾生たちを叱咤する（写真：神崎順一）

組織は必ず肥大化し、人は官僚化する

「なんや、どいつもこいつも二流大学しか出とらへんなあ」

　この日の稲盛はすこぶる上機嫌だった。

　2013年1月下旬、稲盛は自分が創った京セラで新たに執行役員、取締役になる十数人を京都の料亭に集め、祝宴を張った。

　役員といっても京セラが上場企業になった後の入社であり、稲盛とは親子ほども年が違う。新任役員たちはこれまでまともに話したこともない創業者を前に、かしこまっていたが、酒が回ると口がなめらかになった。

「名誉会長は二流ばかりとおっしゃいますが、良い学校を出た気の利くやつらは、とうの昔に辞めてますわ」

「そうやそうや、わしなんか若い頃はずっと4人部屋の寮やで。夜中まで残業して、風呂に入るのも面倒で布団かぶって寝ようと思うたら、一升瓶抱えた先輩が来て『おい起きれ』や。

自分でもよう続いたと思うわ」

「それで辛抱強いバカばっかしが残ったわけやな」

苦労話に花を咲かせる「息子たち」に稲盛は毒づいたが、細い目は一段と細くなっていた。

（京セラが大きくなってから入ってきたサラリーマンばかりだと思っていたが、なかなかどうして、しっかりしとるやないか）

稲盛は心の中で安堵した。

しかし放っておけば組織は必ず肥大化し、人は官僚化する。稲盛はＪＡＬでそれを嫌というほど見てきた。遠い将来、京セラでそれが起きない保証はない。

心の中に佐渡島を

「理念が希薄化したとき、企業の命運は尽きる」

「京セラ８人衆」と呼ばれる創業メンバーの１人で、10年間、京セラの社長を務めた顧問の伊藤謙介は、稲盛や自分が去った後、企業文化が薄まることを何より心配している。

倉敷の高校を卒業して松風工業に入った伊藤は、そこで稲盛と出会った。若い伊藤は兄貴分の稲盛に誘われ、迷うことなく京セラの創業メンバーに加わった。そのとき、伊藤はまだ

22歳。最年少の創業メンバーだった。

「成功するとか失敗するとか、そんなことはまったく考えませんでした。ただ稲盛さんに声をかけられたのがうれしくて。この人に認めてもらえたのだから、頑張ろう。それだけでした」

損得を考えずに動く伊藤の性格は、稲盛によく似ている。

伊藤は京セラ設立30年の節目の年に社長になった。当時、流行っていた「企業の寿命30年説」に従えば、京セラも大企業病にかかって衰退する時期に差し掛かったことになる。実際、社内ではマンネリ化や理念の弱体化が問題になっていた。

就任2年目、伊藤は業績の伸び悩みについて稲盛に相談した。するとこんな答えが返ってきた。

「数字は（社長である）おまえの器量以上でも以下でもない」

伊藤には、20代の前半からアメーバの長として収支責任を負って「ど真剣」に仕事をしてきた自負がある。

「真剣に生きてきたおまえにならどんな難局でも正しい判断ができるはずだ」

稲盛は「器量」という言葉に、そんな意味を込めたのだ。

社長時代の伊藤を何より苦しめたのは円高である。1ドル140円から70円台にまで一気に進み、輸出型の国内製造業は壊滅的な打撃を受けた。京セラも海外でのコスト競争力が半減したばかりでなく、電機大手など国内の主要顧客の不振で業績悪化が予想された。

「心の中に佐渡島を作れ」

このとき伊藤は、こう言って京セラ幹部の尻を叩いた。

鎌倉時代の能の大成者、世阿弥は晩年に弾圧を受け、佐渡島に流刑になった。絶望的な境遇の中で、世阿弥は自分を見つめ、新たな境地を切り開いた。伊藤の言う「佐渡島」とは「逃げ場のない断崖絶壁」という意味である。

「できない、と白旗を揚げることは許さない」

伊藤は社員を鼓舞した。

結果的にこの時期の京セラの利益率は上がっている。追い込まれた現場が工夫に工夫を重ね、コストを半分に削ったからだ。

手の切れるような製品を作れ

このとき伊藤が作らせたのが「フィロソフィ手帳」である。

「不良品がお金に見える」

「機械が泣いている声が聞こえる」

「手の切れるような製品を作れ」

言語感覚に優れた稲盛は、自らの経営哲学を的確に表現した標語をいくつも残している。それを収めた冊子はあったが、たいていは社員の机の中に埋もれていた。

伊藤はそれを作業服の胸ポケットに入る冊子にまとめ、毎朝、輪読するようにした。ただ読むだけではなく、職場のリーダーが、その標語を仕事で生かした実体験を話すように仕向けた。

「京セラは『ものづくり』しか知りません。『井の中の蛙、大海を知らず』です。『されど天の深さを知る』。ものづくり、という1つのことを極めれば、真理にたどり着ける。そう思います」

２０１３年4月、相談役から顧問に退いた伊藤は、京セラに置き土産をした。

「ものづくりの心得」

伊藤が5年がかりで全国の工場を回り、稲盛の京セラフィロソフィを、現在のものづくりに即した形に焼き直した本と手帳の2つを全社員に配ったのである。

「１００年たっても京セラが隆々としているためには、教育で理念を継承していくしかない」

京セラの２０１３年３月期連結決算は売上高が前年度比７・５％増の１兆２８００億円、営業利益は21％減だが、７６９億円の黒字を確保している。２０１４年３月期の予想は売上高が1兆４０００億円と過去最高を更新し、営業利益は前年度比82％増の１４００億円を見込んでいる。

部品と完成品の違いはあるが、同じ電機業界でもパナソニックは２０１３年３月期７５４２億円、シャープは５４５３億円の連結最終赤字を計上した。薄型テレビ用パネルの過剰投資と在庫に苦しみ、それに代わる収益源を探せずにいる。

これに対して京セラはスマートフォンやタブレット端末向け部品で利益を稼ぎ、薄型テレビの落ち込みを補った。フィロソフィとアメーバ経営が染み付いた京セラは創業以来、連結ベースで一度も赤字になっていない。

まだフィロソフィとアメーバ経営が定着しきったとはいえないＪＡＬの場合は、若干の不安が残る。取締役を退任した稲盛はこう心配する。

「ＪＡＬの場合、急に良くなったから、不安はある。社員がおごれば昔のＪＡＬに戻るかもしれない。しかし、いつまでも私がいるわけにもいかない。どこかできりを付けないとおかしなことになる」

後は社長の植木らに託された。

植木の父親は、人気俳優の片岡千恵蔵。子どもの面倒をみるような人ではなかったが、その父親が亡くなったとき植木は「頼るべき大木を失い、ふぬけのようになってしまった」。稲盛が去ったときも「同じ感傷に浸った」と言う。

それでも昔のJALに戻るつもりはない。

「免許皆伝とはいきませんが、そんなヤワな鍛えられ方はしてません」

JAL再生に携わって3年、稲盛は多くの現場を回った。最初はおっかなびっくりだった社員たちだが、いまは稲盛を見つけると駆け寄ってくる。

「JALの社員は美形が多いやろ。そんな彼ら彼女たちが満面に笑みをたたえてくれると、疲れも吹っ飛ぶ」

JALが大嫌いだった老経営者は少しだけ表情を緩めた。

「家族」を守るトップの義務

フィロソフィ教育やアメーバ経営の導入でJALが少しずつ変わり始めた2012年のある日、盛和塾のコンパで、こんな出来事があった。

稲盛とは30年近い付き合いである盛和塾の古手の塾生たちは、ＪＡＬ再生のために京都と東京を往復し、過密スケジュールに追われる稲盛の体を案じていた。

古手の塾生のほとんどは、自ら創業したり親から会社を継いだりした中小企業の経営者である。彼らにしてみれば、自分と同じように辛酸をなめてゼロから事業を立ち上げた稲盛が、あんな鼻持ちならないエリート集団のために、身を粉にして働く理由が分からない。自分たちが味わってきたようなカネの苦労も知らず、甘っちょろい経営で破綻したＪＡＬなど、放って置けばよいではないか。そんな気持ちがＪＡＬへの批判となって表れることもあった。

「塾長、ＪＡＬの役員はみんなファーストクラスに乗っているらしいじゃないですか。エコノミークラスに変えれば、ずいぶんコストが下がりますよ」

稲盛の顔がみるみる赤くなった。

「あなたたちまでそんなことを言うのか。ファーストクラスを使う役員など、いまのＪＡＬには1人もいない。いい加減なことを言ってもらっては困る」

良かれと思って提案した古株の塾生は顔色を失った。

稲盛自身、周りが止めるのも聞かず、大きな体を縮めるようにしてエコノミークラスを使っていた。テレビや書籍で顔の売れた稲盛がエコノミーに座っていると、近くの乗客はぎょっとする。稲盛は知らん顔で本を読んでいた。しかし、ＪＡＬ＝放漫経営という世間の目は簡単には変わらなかった。

破綻前、西松遥が社長だった時代から、ＪＡＬの会長、社長は毎月25日（ニッコウの日）に、都内の街頭でＪＡＬの利用を呼びかけた。社長以下の個室を廃し、役員は大部屋にいる。黒塗りのハイヤーで通勤していたパイロットは電車を使っている。

放漫経営の汚名を返上するため懸命のコスト削減で利益を出せば、今度は「えこ贔屓だ」と批判される。当時、野党の自民党は国会で、与党民主党が中心になって進めたＪＡＬ再生を「過剰救済」と責め立てた。言い返すことも許されず背中を丸めるＪＡＬの社員を、稲盛は必死に守ろうとした。

盛和塾の塾生たちが考えたように、稲盛にそこまでする義理はなかったのかもしれない。しかし、たった3年でも、会社のトップに立った以上、自分には3万２０００人の「家族」を守る義務がある。それが稲盛の流儀である。

立派な計画も実行するのは社員

２０１０年2月に稲盛が会長になったとき、ＪＡＬの社員が稲盛に抱いたイメージは、終戦直後の日本に降り立ったＧＨＱ（連合国最高司令官総司令部）のマッカーサー最高司令官に近かったかもしれない。稲盛ら4人の再建チームは、倒産という敗戦を迎えたＪＡＬに乗り込んでくる進駐軍だった。

「だからおまえたちはダメなんだ」

そう怒られても、黙って従うしかない、と考えた社員も少なくなかっただろう。

だが稲盛は社員を決して怒らなかった。

空港でパイロットに気象情報などを提供する航務部に所属していた入社3年目の川名由紀は、ＪＡＬの再建が始まると「意識改革推進準備室」のメンバーの1人に選ばれた。稲盛の「フィロソフィ」をＪＡＬに浸透させ、社員の意識を変えるのが仕事だった。

川名は稲盛がリーダー教育でＪＡＬの役員にする講義を、部屋の片すみで聞きながら、こう思った。

「こんな偉い人が、なんでこんな当たり前の話をするんだろう」

大の大人、しかも大企業の役員に向かって、「人間としてのあり方」を説く稲盛を、川名は不思議な気持ちで見ていた。

役員に対しては声を荒らげることもあった稲盛だが、川名に対しては、ちっとも怖い人ではなかった。

稲盛が会議、会議の過密スケジュールで昼食をとる時間がないとき、川名は稲盛に頼まれて本社の1階にあるコンビニエンスストアまでおにぎりを買いに走った。頼まれた2個のおにぎりを渡すと、稲盛は「いつもありがとう」と言って両手を合わせた。

川名と同様、「どんな厳しいことを言われるか」と身構えていたJALの社員に対しても、稲盛は同じように接した。社員に対しての叱責や批判は一度もなかった。

何より社員が驚いたのは会長に着任したときの稲盛の第一声である。

「経営の目標は、社員の物心両面の幸福を追求することです。私はごらんのとおり高齢ですが、皆さんの幸せを追求するために精いっぱい頑張るつもりです」

（えっ、私たちが幸せになってもいいんですか）

「失った信用を取り戻すために頑張れ」と叱咤《しった》されるものだと思っていた社員は、あっけにとられた。

社員に「幸せになってもいい」と言った理由を、稲盛はこう説明する。

「社員は悪くないですから。JALをつぶしたのは一部の経営陣。社員は、多くの仲間が会社を去り、給料や年金を削られ、もう十分つらい目にあっている。どんな立派な更生計画を立てても、それを実行するのは社員なのだから、彼らがうつむいたままでは再建は失敗したはずです」

もしもＪＡＬの社員に自分で立ち上がる意志がなければ、稲盛も彼らを守ろうとはしなかっただろう。しかし、彼らは彼らなりに、生き残るための道を必死に探そうとしていた。その証が企業年金問題である。

自分たちの手で片付けるしかない

「よおしっ、届いたあ」

会社更生法の適用申請から3日後の、２０１０年1月22日夜。東京・天王洲アイルのＪＡＬ本社の一室で歓声が上がった。西松の特命を受けた企業年金改革チームの部屋だ。ＪＡＬは法的整理回避のため、現役5割、ＯＢ３～４割の給付をカットする企業年金制度改正を提案していた。成立させるには受給者・待機者の３分の２の同意が必要だった。意向変更申出期間の期限だったこの日の午後８時、同意書の提出数は６７４２通に達し、母数の72％を突破した。薄氷を踏む成立だった。

「会社を救うためです。どうかご理解ください」

札幌、東京、名古屋、大阪、福岡。西松は現役、ＯＢの賛同を得るため全国を回り、頭を下げ続けた。

「JALのOBというだけで肩身の狭い思いをしているのに、年金まで削るのか」

会場では容赦のない怒号や罵声が飛んだ。

西松は説明会場にテレビカメラを入れ、袋叩きにあう自分の姿をニュースで流させた。全国の受給者・待機者にJALの窮状をアピールするためだった。

12月15日、約5700通。1月12日5991通。西松の懇願にもかかわらず同意書の数は伸びない。

「法的整理を回避するためには制度改革を認めていただくしかありません」

西松は決死の形相で懇請した。

実は、このときすでに法的整理は規定路線になっていた。それでも企業年金制度の改革は必要だった。

「注入された公的資金がJAL社員・OBの年金の原資になるようでは、国民は納得しない」

会社更生法の適用申請とセットで議論されていた企業再生支援機構による出資について、政府・与党からこんな指摘が出ていた。自力で企業年金制度を改革できなければ、公的資金の注入が見送られ、裁判所に更生計画が認められない可能性もあった。

特命チームで企業年金制度改革に携わったある役員は振り返る。

「稲盛さんがいくら立派な経営者でも、ＯＢまで説得することはできなかったでしょう。年金問題だけは自分たちの手で片付けるしかなかった」

同じチームで働いた幹部社員は言う。

「同意書が3分の2を超えた瞬間は、周りの人間と抱き合って喜びました。これで会社が存続できる、と。でも考えてみれば、おかしな話ですよね。自分の年金が半分になるのを喜んでいたわけですから」

年金が半分になっても「この会社を存続させたい」という社員の気持ちと「3万2000人の家族を守る」という稲盛の気迫が、爆発的な化学反応を起こしてＪＡＬ再生の原動力になった。

いまの日本企業で、経営者と現場がこうしたポジティブな化学反応を起こすケースは珍しい。むしろ目に付くのはネガティブな化学反応だ。

経営はマジックではない

「早く膿を出し切り、再建のスピードを上げたい」

２０１２年夏、ある電機大手の社長は数千人の早期退職を募集した後の記者会見で、こう口を滑らせ、世間を唖然とさせた。

「俺たちは膿なのか」

断腸の思いで会社を去る社員がやりきれない思いになったのはもちろんだが、社員をコストとしてしか見ないトップの下では、残った社員もやる気にはならない。その後1年、この会社の再建は遅々として進まず、経営状況は悪化の一途をたどった。

しかし社員＝コストと考えるトップは、この社長だけではない。大規模な人員削減をすれば株価が上がり、周囲も「勇気ある決断」と誉めそやす風潮が広がっている。中高年の社員を「追い出し部屋」に集め、仕事を与えず自分の口から「辞める」と言うように仕向ける陰湿な企業もある。

そんな世相にあって「社員は家族」「家族を幸せにするのが経営」と言い切る稲盛は、もはや「異端」かもしれない。稲盛が唱えた「社員の幸福の追求」については、再建のパートナーである企業再生支援機構の面々も最初は異を唱えた。

「倒産して金融機関や株主など、多くのステークホルダーに迷惑をかけたわけですから、『社員の幸福が第一』というのはマズいでしょう」

しかし稲盛は「これでいい」と譲らなかった。

「田舎のおっさんが言うようなことを、と思われたかもしれない。しかし社員が幸福にならないことには、会社は絶対にうまくいきません」

「迷惑をかけた銀行には私が謝りに行きました。仏頂面で迎えられ、ずいぶんと嫌みを言われましたが、社員のためと思えば、何でもなかった」

「社員を守る」という稲盛の気持ちは、京セラが社員数百人の中堅企業だった頃から変わらない。その昔、稲盛は3人の娘にこう言って謝ったことがある。

「父親らしいことを1つもしてやれず、本当にひどいお父さんやった。しかしお父さんには何百人という子どもがおるんや。分かってくれ」

稲盛は3人の娘の小学校の入学式にも、授業参観にも一度も行ったことがない。

社長の植木は言う。

「稲盛さんの経営はマジックでも何でもない。本気で会社を自分の子どもだと思っている。愛情の深さが違う。我が子のためと思うから、万全の自信を持ってモノが言える。サラリーマン経営者では、なかなかああは言えません。この3年間で命を縮められたかもしれないが、まさに起業家の生き様を見せていただいた」

「起業家の妻」の覚悟

ＪＡＬを守ったのが稲盛だとすれば、稲盛を守ったのは妻の朝子だった。

稲盛がＪＡＬ取締役の退任を発表した少し後。京都の自宅の居間で稲盛が寛いでいると、隣の炊事場で洗い物をしていた朝子が、誰に言うともなくつぶやいた。

「わたしなあ、3年前に京大病院の先生のとこに行って、ゆうたんや。『先生、今から3年間だけは病気せんように、よろしくお願いします』って」

もしも自分が病に倒れたら、稲盛がＪＡＬ再生に集中できなくなる。朝子は最後の大仕事に挑む夫の足手まといになることを、何より恐れた。

ＪＡＬ再建に奔走した1155日。稲盛は週に3日から4日、京都の自宅を留守にした。東京に出かけるときに朝子が車に積み込むカバンには、1日分の下着、ワイシャツ、ネクタイをひとまとめにした袋が、出張日数の分だけきちんと入っていた。

稲盛が朝子と結婚したのは1958年12月。京セラを立ち上げるために松風工業を辞めた翌日のことだ。朝子も松風で働いていた。

創業期の京セラは、猫の手も借りたい状態だったが、稲盛は決して朝子を職場には呼ばなかった。

「京セラは家業として始めたわけではなく、最初から出資者に300万円を出してもらって作った株式会社でしたから。家内がのこのこ出てくるのはおかしい」というのが稲盛の考え方だった。

稲盛が自宅に若い社員を連れてくると朝子は手際よく手料理を振る舞ったが、仕事に口を出すことはなく、ひたすら家を守った。

しかし朝子は会社のことをよく知っていた。稲盛が家でしゃべったからである。うまくいったときも、いかなかったときも、会社で起きていることを稲盛は熱心に朝子に話した。米IBMから大量の基板を受注したときには、その基板を家に持ち帰って「これや」と朝子に見せた。

それが何の役に立つものやら、朝子には皆目、見当がつかなかったはずだが、それでも朝子はうれしそうに笑っていた。

稲盛が松風を辞めた直後に結婚したのだから、朝子は「起業家の妻」になることを覚悟していたはずである。それから55年。金婚式を過ぎてもまだ無茶をする夫を、朝子は黙って支えた。

「JAL再生の一番の功労者は、おまえかもしらんなあ」

炊事場の朝子の背中に向かって稲盛が言うと、朝子はうれしそうに笑った。

エピローグ

2013年4月9日、10日前にJAL取締役を退任した稲盛は秋田県にいた。「市民フォーラム」で講演するためだ。

「市民フォーラム」は一般市民に稲盛が無料で講演をするボランティア活動だ。年に10回程度、各地で2000人級のホールで開くが、応募者が多くて抽選になる。全国の中小企業経営者に経営を指南する「盛和塾」と並ぶ、稲盛のライフワークである。

稲盛は集まった秋田市民にとつとつと「生き方」を説いた後、80人近い地元の人々との懇親会に顔を出した。

「今日はゆっくりお酒を飲ませてくださいな」

この日、稲盛は久しぶりに、時間を気にせず、人々とゆったりと語らい、うまい酒を楽しんだ。

こうしたイベントで、常に稲盛に寄り添ってきた盛和塾事務局長の諸橋賢二の目には、JAL再建を引き受けてからずっと張り詰めていた稲盛の表情が「少しだけほっこりした」ように見えた。

JALで生きるか死ぬかの勝負をしていた稲盛にとって、市民フォーラムや盛和塾は鎧を脱げる数少ない場所だった。

稲盛は盛和塾の塾生を「ソウルメイト」と呼ぶ。「心の友」という意味だ。

塾生の大半は自分で起業したか、親から家業を継いだオーナー経営者である。従業員の生活を一身に背負い、孤独に闘っている彼らを、稲盛はかつての自分の境遇と重ね合わせ、同志と思っている。

稲盛がＪＡＬで過ごした１１５５日は、中小企業からのたたき上げである稲盛が、自分の経営哲学をエリート・サラリーマンの集団に打ち込む激しい闘いだった。自分と全く異なる価値観を持つ人々との闘争でもあった。

盛和塾の塾生と稲盛の価値観は同じである。塾生の多くは自分の会社の従業員の奥さんや子どものことまで心配し、金策で銀行を駆けずり回り、取引先の大企業に振り回されている人々である。自分の若い頃と同じ悩みを持つ人々が集まり、真剣に教えを請うてくる。それが稲盛にはうれしい。

「そら、つらいわな。わしも昔はそうやった。そんなときは、こうしたらええんや」

塾生から相談を持ちかけられる度に、稲盛はかつての自分を思い出し、質問に真摯に答えながら、ベンチャー魂を取り戻すのである。

日本最強のビジネススクール

盛和塾の前身である「盛友塾」ができたのはいまから30年前。「京セラという勢いのいい会社があるらしい。そこの社長の話を聞いてみたい」という京都の経営者の要望に応え、青年会議所で話をしたのが始まりだ。

以来、全国各地からの求めに応じ、茨城と奈良を除く全都道府県に全部で54の塾ができた。会員は国内だけで6300人。稲盛が出向いて講演する「塾長例会」は年に十数回だが、それ以外にも塾生同士が集まって頻繁に勉強会を開いている。

彼らが経営する企業の売上高を合計すると推定で43兆円。経常利益は1兆8000億円、従業員数は正社員・パートを合わせて183万人にもなる。

盛和塾が「日本最強のビジネススクール」と言われるゆえんである。

稲盛はなぜ、中小企業の経営者を熱心に指南するのだろうか。

「会社の数でいえば日本企業の97％が中小企業。雇用は80％を中小企業が支えています。中小企業が立派になれば日本が良くなる、というのが塾長の思いです」

諸橋はそう説明する。

秋田の市民フォーラムを終えた後、5月の連休を使って稲盛はブラジルに飛んだ。盛和塾はブラジルの他、米国、台湾、中国にもあり、海外の会員は1856人にのぼる。

ブラジルに盛和塾ができたきっかけは、いまから20年前、週刊誌の『アエラ』に載った稲盛の記事を読んだ日系人経営者から稲盛に届いた1通の手紙だった。

当時、ブラジルではハイパーインフレの嵐が吹き荒れ、日系人が経営する中小企業は生死の境をさまよっていた。稲盛が日本で中小企業の経営指南をしていることを記事で知った日系人経営者が、地球の裏側からSOSを送ってきたのである。稲盛はそれに応えた。ブラジルにはいま、150人を超える会員がいる。

そのブラジルより稲盛哲学が広く受け入れられているのが中国である。盛和塾の拠点は無錫、北京、青島、大連、広州、重慶、上海にあり、会員は1100人を超える。

稲盛が講演に行けば1000人の会場が満員になり、国営テレビが「対話」という特番の中で3回にわたり稲盛をゲストとして迎えた。なぜ、そんなに盛り上がるのか。稲盛自身はこう見ている。

「経営者というのは、どこの国でも孤独なもんや。社員なら喧嘩もできるし、愚痴も言えるが、社員を預かる経営者はそうはいかない。全部、1人で引き受けて1人でディシジョンするわけや。だからみんな、何か頼りになるもの、心の指針を求めている。それは中国でも同じです」

「静」と「動」が同居する人間

そこには「思想家・稲盛和夫」の顔がある。

だが、それだけが稲盛のすべてではない。稲盛という人間は、見る人によって顔が変わる。実に不思議な存在である。

思想家としての稲盛は、30歳そこそこの若さで「経営とは従業員を幸せにすることである」という哲学を持ち、以来半世紀、「人間は如何に生きるべきか」を考え続けてきた。思慮深い「静」の部分だ。

しかしもう一方では、80歳を過ぎてなお、3万2000人の従業員を率いて生還不能と思われたJAL再建に立ち向かう「動」の部分がある。

売上高1兆円を超える企業に乗り込んで、1万円単位の金の出入りに目を光らせ、コンパで缶ビールを飲みながら幹部を叱咤激励し、政治家や官僚の圧力から会社を守る。修羅のごとく闘う「動」の稲盛である。

「動」と「静」が1人の人物の中に共存すること自体は珍しくないが、多くの場合、それは経年変化として表れる。

起業家でいえば、古くは米国の「石油王」ジョン・ロックフェラーや「鉄鋼王」アンドリュー・カーネギー。現役時代は競争に明け暮れてライバルを叩きのめし、巨万の富を得る「動」の時代を生きている。

しかし彼らは現役を退くと、「富を独占する者」という社会からの厳しい目もあり、「動」の時代に得た富で財団を作り、社会貢献に邁進する。ロックフェラー財団やカーネギー財団が科学や文化の進歩に果たした役割は大きい。これが「静」の時代である。

動の時代に得た富を、静の時代に社会に還元する伝統は、いまも米国の起業家に受け継がれている。ビル・ゲイツが作ったマイクロソフトは彼の現役時代、ライバルを打ちのめすその苛烈さから「悪の帝国」とまで呼ばれたが、いまのゲイツは私財を投げ打ち、ビル・アンド・メリンダ・ゲイツ財団で妻とともにマラリアの撲滅などに奔走している。

日本でも松下電器産業（現パナソニック）の創業者、松下幸之助は晩年「静」の時代に入ると、松下政経塾などで人材育成に力を注ぎ、ソニー創業者の井深大は幼児教育の発展に私財を投じた。

だが稲盛の場合、若い頃からずっと、「静」と「動」が1人の人間の中に同居している。

「できっこない」を「やってやるか」に

稲盛との付き合いが半世紀を超える、京セラ元社長で顧問の伊藤謙介はこんな思い出話をする。

「おい、ちょっと集まってくれ」

チームの開発が行き詰まると、当時20代後半の稲盛は、自分の机の周りに若い開発者たちを集めた。最若手の伊藤は、おんぼろのパイプ椅子に座って議論に参加したことを覚えている。稲盛や伊藤が京都の碍子メーカー、松風工業で働いていた時代のことだ。

稲盛たちは松風で、主力の碍子ではなく、当時としては新素材だったファインセラミックの開発を担当していた。

技術者として図抜けていた稲盛には「こうすれば、うまくいく」という革新のイメージがあったが、そのイメージをチームで共有しないと仕事はうまくいかない。

「天然色のイメージが浮かぶまで考え抜かなければ開発は成就しない」という、稲盛の「ものづくり哲学」は、すでにこの時期に萌芽があった。

稲盛は「そんなことはできっこない」と思い込んでいる若手の目つきが「やってみるか」

に変わるまで、30分でも1時間でも話し続けたという。

「開発のイメージを植えつけるのと当時に、その仕事の意義を説くわけです。我々は何のためにこんな苦労をしているのか。この製品ができれば世の中がどんなに変わるか。そういう話をされると、みんな次第にその気になってくる。このあたりはもう、心理学者であり思想家ですよ」と伊藤は言う。

「やってみせて、言って聞かせて、やらせてみて、ほめてやらねば人は動かじ」とは連合艦隊司令長官、山本五十六が残した格言だが、稲盛は20代の若さでこれを実践していた。伊藤が言うように、稲盛は京セラを立ち上げた27歳のときから、すでに「思想家」だった。

稲盛や伊藤が松風工業で働いていた頃、日本は労使対立の季節を迎えており、工場という工場に赤い旗がはためいていた。総労働と総資本が鋭く対立していた時代だ。その風は松風にも及び、労働組合は待遇改善を求めてストライキを実施した。

しかし稲盛たちが扱うファインセラミックの部品は、松下電器産業のテレビに採用されており、松風が部品を届けなければ松下がテレビを作れない。

稲盛たちは組合のピケを突破して工場に潜り込み、生産を続けた。いわゆる「スト破り」である。松風時代の稲盛は、まだ経営者ではない。仲間といっしょに賃上げを求めて赤い旗を振っていてもおかしくはない。

稲盛がストライキに同調しなかったのは「お客様に迷惑をかけない」という信念と、経営者が従業員の幸福を真剣に考えれば、労使が対立する必要はないという「労使同軸」の思想が、若い稲盛の中にすでに結実していたからである。

高みに達しても枯れない

もちろん若い稲盛の中で、こうした思想・哲学のすべてが体系化されていたわけではない。稲盛は京セラ創業期の激務の中でも、常に勉強を続けていた。

京セラで伊藤たち若手は、稲盛に薦められて松下幸之助の著書『道をひらく』を輪読していた。

そこに中村天風、安岡正篤らが唱えた東洋思想、郷土鹿児島の偉人、西郷隆盛が唱えた「敬天愛人」の思想、さらに仏教思想や孔子、孟子が加わって、独自の稲盛哲学が形成されていった。

多くの場合、人はこうした思想・哲学を深めて「静」の高みにたどり着く過程で、「動」のエネルギーを失っていく。伊藤はこんな話をする。

「昔、永平寺の高僧にお目にかかる機会がありました。我々凡人には想像もできないような思想・哲学の高みにいらっしゃる方なのでしょう。しかし、見た目は骨と皮の老人です。ものを書いたり、話したりということで、後世に影響を残されるのだと思いますが、社会の先頭に立つエネルギーは残っていない、と感じました」

だが稲盛の場合、思索を深め「静」の高みに達することが「枯れる」ことにつながらなかった。JALに乗り込んだ稲盛は、吉野家の牛丼やマクドナルドのハンバーガーを頬張りながらビジネスの一線で陣頭指揮を執った。80歳を過ぎてなお、このうえなくエネルギッシュな「動」の姿を見せている。20代から80代まで「静」と「動」が同居し続けた稀有の人物。それが稲盛和夫である。

「静かな思想家」だと稲盛を思って見ればいささか生臭いし、エネルギーにあふれた「動の経営者」だと思って接していると、「利他の心」を説かれて驚かされる。稲盛和夫という人物は、見る角度によって表情が変わる仏像のようでもある。

JALとエアバスの極秘トップ会談

JAL取締役としての稲盛は、最後の最後まで「動」だった。

2013年1月、稲盛がスイスのダボスで開かれた世界経済フォーラムの年次総会で講演したことはすでに書いた。実はこのとき稲盛は、極秘裏に仏エアバスのCEO、ファブリス・ブレジエと会っている。現地で昼食を共にした。JALとエアバスのトップ会談は、それだけで大ニュースである。

エアバスは米ボーイングと世界の商用航空機市場を二分する欧州の雄である。各国の航空会社の多くはエアバスとボーイングを併用しており、日本のANAもそうしているが、JALが保有する100機の航空機は2013年4月時点ですべてがボーイング製だ。エアバスは1機も保有していない。JALという企業の特殊性ゆえである。

敗戦後、日本国籍の航空機はGHQによって、すべての運航が停止されていたが、1950年に運航禁止が解除され、1951年にJALが設立された。

その後、1987年に完全民営化されるまで半官半民体制が続いたJALの経営には、時々の日米関係が色濃く映し出された。日米貿易摩擦が問題になった1970～1980年代には、JALはボーイングの「747」（通称ジャンボ）を100機以上購入して摩擦解消に一役買っている。

だが現在の航空機市場は、「海外旅行といえばハワイ」「ビジネスといえばニューヨーク」と大量の旅客が同じ場所を行き来する大量輸送の時代から、思い思いの場所に、好きな曜日、時間帯で飛ぶ小口輸送の時代に変質している。

こうした時代に求められるのは燃費のいい中小型機であり、燃費が悪く、乗客が少ないときには多くの空席を抱えて飛ぶことになるジャンボは、徐々にＪＡＬの経営を圧迫していった。

それでもＪＡＬは日米関係に配慮して、ボーイングからの1社購買を続けてきた。ナショナル・フラッグ・キャリアの宿命といえるかもしれない。ボーイングとエアバスへの分散発注が理にかなっているが、歴代のＪＡＬ経営者にとっては、どうしても踏み込めない聖域だった。

稲盛はそこに風穴を開けた。

「ＪＡＬ経営陣に『エアバスを買え』とは言っていません。しかし航空機という大きな買い物をするときに、1社からしか買わない、というのはおかしい。性能や価格をよく比較して、ＪＡＬの経営にとって一番良い航空機を買うべきです」

稲盛が言っているのは商売として当たり前のことだが、常に政治の風圧に晒されるＪＡＬにはその「当たり前のこと」ができなかった。稲盛は自分が風よけになることで、2社購買への道を開いた。4月に取締役を退任した稲盛の置き土産である。その行動力や決断力は、紛れもなく、機をみるに敏な「動の経営者」である。

しかしＪＡＬの社員に対しては「利害得失に流されるな」「利他の心を忘れるな」と「静」の思想を説き続けた。その複雑さ、多面性が、稲盛という人物を分かりにくくしている。

稲盛が持つ「静」の部分は社員への愛情、「動」の部分は事業への闘志と言い換えることができる。そういう愛情や闘志を持たない経営者が、いまの日本には多すぎる。

既得権益に切り込む

稲盛和夫という経営者が、日本の経済史の中で果たした役割は大きい。

京セラを町工場から１兆円企業に育てることで起業家のロールモデルとなり、第二電電の設立で通信市場に競争を持ち込み、ＪＡＬ再生で国策企業を本物の民間企業に変身させた。それは日本がまだぶら下げている「国家資本主義」という名の、発展途上国時代の尻尾を断ち切る作業だった。

経済成長によって途上国から先進国になる過程で、公社、国策企業、独占企業といった国家資本主義の尻尾は自然消滅するのが本来の姿である。だが、日本ではまだ「公社」の体質を引きずる巨大組織が幅を利かせている。

稲盛はその尻尾をちょん切った。

公社や独占企業や官僚組織は、放っておけばどんどん肥大化し、非効率を生んで税金を食いつぶす「タックスイーター」になる。

タックスイーターは国民の敵だが、一方で巨大な利権を生み、そこに連なる既得権益者にとっては、かけがえのない金づるになる。タックスイーターは強烈な自己増殖の本能を持っているので、誰かが勇気を持って切除しないと、経済の悪性腫瘍となって、国を蝕んでいく。ツケを支払わされるのはいつも国民だ。

税金を食いものにするタックスイーターの振る舞いが許されるのなら、自分たちも税金に頼ればいい。経済界にモラルハザードが蔓延し、いつしか税金を納める側の民間企業までもが、税金を貪るタックスイーターに堕してしまう。

政界、官界、労働界に根を張ったタックスイーターは、一度手にした既得権を手放さない。あらゆる手段を使って改革を拒む。そこに切り込む改革は、掛け値なしで命がけの勝負だ。京セラとKDDIで功成り名を遂げた稲盛は、タックスイーターからの集中砲火を受けて晩節を汚すリスクを承知で既得権益の砦に切り込んだ。

かつて稲盛と同じように既得権益に切り込んだ経営者がいる。土光敏夫だ。その質素な生活ぶりから「メザシの土光さん」と庶民に親しまれた土光は、第4代経団連会長として指導力を発揮し、鈴木善幸内閣時代の１９８1年、第2次臨時行政調査会（通称土光臨調）の会長になった。土光臨調が提言したのが国鉄（現ＪＲグループ）、電電公社（現ＮＴＴ）といった「公社の民営化」だ。

土光臨調は、公社を民営化し民間企業の新規参入を促せば、日本経済を活性化できると主張した。国の役割は事業にカネや口を出すことではなく、自由で公正な競争の土俵を整えて民間企業のやる気や知恵を引き出すことであると。「独占は悪」という稲盛の考え方と同じだ。

汗も出ない者は去れ

土光は「怒号の土光」と呼ばれるほど仕事に厳しい「合理化の鬼」だった。東京石川島造船所（現ＩＨＩ）の社長を経て、１９６5年に経営難の東京芝浦電気（現東芝）に乗り込んだ。土光は社長就任のスピーチでこう言い放った。

「諸君にはこれから3倍働いてもらう。役員は10倍働け。俺はそれ以上に働く」

臨調会長になった土光は「増税なき財政再建」を掲げ、国の合理化に着手した。その切り札が3公社の民営化だ。3公社とは国鉄、専売公社（現JT）、電電公社。その志を継ぎ、NTTと競争して日本の電話料金を安くするために第二電電を設立したのが稲盛ということになる。

資本主義の精神を守る

私生活でも土光と稲盛はよく似ている。

土光の私生活の質素さは有名だ。妻と2人の夕飯でメザシを食べる姿がテレビ番組で放映されたことから「メザシの土光さん」の愛称が広まった。経団連会長になってもバスや電車を使って通勤した。こうした暮らしぶりは、コンビニエンスストアのおにぎりや吉野家の牛丼を食べながらJAL再建に取り組んだ稲盛の姿と重なる。

お金がないわけではない。だが、合理的な思考をする2人は私生活でも無駄を嫌い、結果としてその暮らしぶりは質素になった。土光や稲盛は、我慢して粗食を食べたわけではなく、メザシや牛丼が好きだった。仕事一筋の彼らは、そもそも贅沢に興味がなかった。自らを律して競争に励む「資本主義の精神」の権化である。もし彼らが私生活で虚飾に走っていたら、いくら合理化の旗を振っても社員はついてこなかったし、国民も応援しなかっただろう。経済を活性化し、国民の生活を豊かにするのは官による「規制」や「補助金」ではなく、民による「競争」である。そう確信する土光と稲盛は、老体に鞭を打って「資本主義の精神」を守ろうとした。稲盛が去った後、日本の「資本主義」を守るのは誰だろう。

稲盛は京セラという日本有数の電子部品メーカーをゼロから立ち上げ、ＮＴＴという巨人に立ち向かってＤＤＩという通信会社を作り、誰もが不可能だと思ったＪＡＬの再生を成し遂げた。

それは「奇跡」の一言で片付けられるような、軽々しいものではなかった。

何千時間にも及ぶ役員・社員との対話。百円玉を積み上げて数千億円のコスト削減につなげていく経営改善。それは気の遠くなる積み重ねであり、たゆまぬ努力だった。

80歳を超える老人が、それをやってのけたのだ。

「日本は再生できる」

ＪＡＬを甦らせることで、稲盛はそれを証明した。

我々は稲盛の志を受け継ぎ、日本再生の一歩を踏み出さなくてはならない。

【参考文献】

稲盛和夫（2000）『稲盛和夫の実学』日経ビジネス人文庫
稲盛和夫（2004）『生き方』サンマーク出版
稲盛和夫（2004）『稲盛和夫のガキの自叙伝』日経ビジネス人文庫
稲盛和夫（2004）『君の思いは必ず実現する』財界研究所
稲盛和夫（2010）『アメーバ経営』日経ビジネス人文庫
稲盛和夫（2012）『新版　敬天愛人　ゼロからの挑戦』PHPビジネス新書
引頭麻実（2013）『JAL再生』日本経済新聞出版社
大鹿靖明（2010）『堕ちた翼 ドキュメントJAL倒産』朝日新聞出版
渋沢和樹（2010）『挑戦者』日本経済新聞出版社
日本航空・グループ2010（2010）『JAL崩壊』文春新書
町田徹（2012）『JAL再建の真実』講談社現代新書
山崎豊子（2001）『沈まぬ太陽』1～5巻、新潮文庫

【著者紹介】

大西 康之（おおにし・やすゆき）

日本経済新聞社編集委員
1965年生まれ。1988年早稲田大学法学部卒業後、日本経済新聞社入社。産業部記者、1998年から欧州総局（ロンドン）駐在、2004年から日経ビジネス記者、2005年から同編集委員。2008年から日本経済新聞産業部次長、2012年から産業部編集委員。コンピューター、鉄鋼、自動車、商社、電機、インターネット関連などの業界を担当。
著書に『三洋電機　井植敏の告白』（日経BP社）などがある。

稲盛和夫 最後の闘い
JAL再生にかけた経営者人生

2013年7月12日　1版1刷
2013年8月6日　　4刷

著　者　大西康之

発行者　斎田久夫

発行所　日本経済新聞出版社
〒100-8066　東京都千代田区大手町1-3-7
電話（03）3270-0251（代）
http://www.nikkeibook.com/

印刷／製本　シナノ印刷

ISBN978-4-532-31898-7